A HIDRA

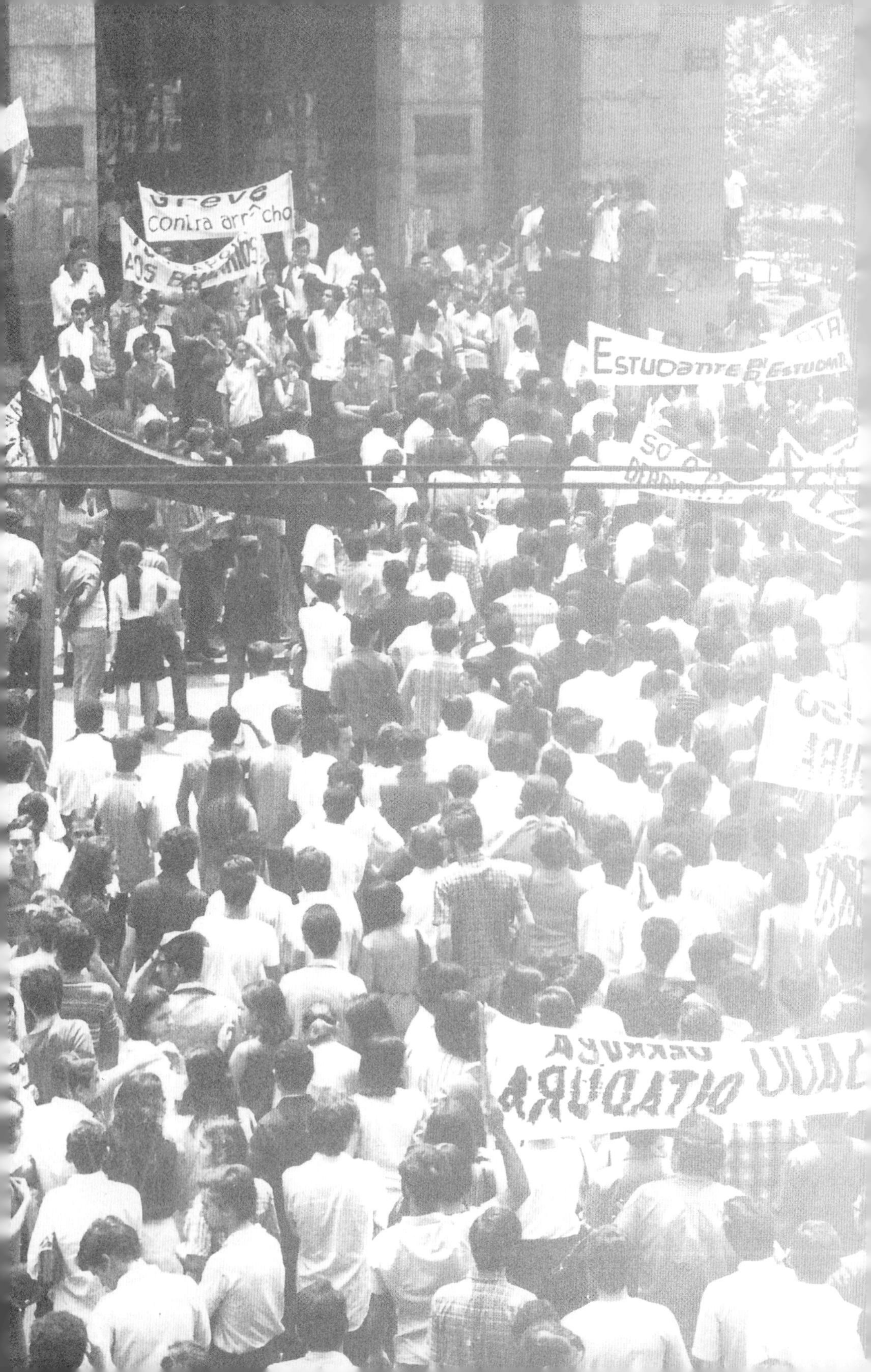
Greve
contra arrôcho
ESTUDANTE

Marlene Rodrigues

A HIDRA
Contos de Exílio, Clandestinidade e Resistência

1964 BRASIL 1985

GERAÇÃO

Copyright © 2016 by Marlene Rodrigues

1ª edição — Novembro de 2016

Grafia atualizada segundo o Acordo Ortográfico da Língua Portuguesa de 1990, que entrou em vigor no Brasil em 2009

Editor e Publisher
Luiz Fernando Emediato

Diretora Editorial
Fernanda Emediato

Assistente Editorial
Adriana Carvalho

Coordenação de Projeto
Ricardo Trento

Capa, Projeto Gráfico e Diagramação
Alan Maia

Preparação de texto
Marcia Benjamim

Revisão
Josias A. de Andrade

DADOS INTERNACIONAIS DE CATALOGAÇÃO NA PUBLICAÇÃO (CIP)
(Câmara Brasileira do Livro, SP, Brasil)

Rodrigues, Marlene
   A hidra : contos de exílio, clandestinidade e resistência / Marlene Rodrigues. -- São Paulo : Geração Editorial, 2016.

   ISBN 978-85-8130-367-3

   1. Contos brasileiros 2. Ditadura - Brasil 3. Ditadura - Brasil - História - 1964-1985 4. Exílio 5. Tortura - Brasil I. Título.

16-08348   CDD: 869.3

Índices para catálogo sistemático

1. Contos : Literatura brasileira   869.3

GERAÇÃO EDITORIAL

Rua Gomes Freire, 225 – Lapa
CEP: 05075-010 – São Paulo – SP
Telefax.: (+ 55 11) 3256-4444
E-mail: geracaoeditorial@geracaoeditorial.com.br
www.geracaoeditorial.com.br

Impresso no Brasil
Printed in Brazil

"ESTA PUBLICAÇÃO REFLETE A OPINIÃO PESSOAL DO AUTOR, QUE NÃO CONVERGE NECESSARIAMENTE COM A OPINIÃO OFICIAL DA ITAIPU."

*À pátria amada,
Brasil.
Esquecer, jamais!*

À história só devemos a tarefa de reescrevê-la.

OSCAR WILDE

Sumário

Apresentação 11

O babalaô.. 13
A resistência.. 16
O clandestino... 19
A manchete... 23
A hidra 29
As medalhas 33
O delegado.. 38
A castração... 44
O pioneiro... 45
A rebelião 50
Casa de mãe.. 53
O advogado... 56
A serventia... 60
A aula magna.. 64
Os cientistas 68
O cacique 72
A madre 77
As ruas 81
O fantasma... 85
As aparências 90
O olhar 97
O herói 100
A civilidade 107
As feras.. 110
A esperança 114

A perda.. 118
A coroa de Cristo 123
A assinatura... 131
O destino 135
A palavra 139
O dejeto 143
A festa 149
O Pancada.. 153
Axé em Moscou... 155
A amizade... 158
A pedagoga... 162
A toga 169
O duque.. 171
Os gigantes... 175
O rábula.. 178
A conspiração 185
A atitude 191

Referências 195
Agradecimentos... 197

Apresentação

Escrevi este livro movida pelo amor a cada uma das personagens dessas histórias de dor, mas também de coragem e resistência à ditadura militar brasileira. Queria dar a muitas a voz que nunca tiveram, e a outras apenas a lembrança do que viveram emoldurada pelos meus sentimentos.

São acontecimentos reais vividos por pessoas reais. À maioria emprestei minha subjetividade na tentativa carinhosa de arrancá-las do silêncio, da solidão e da passagem do tempo. A algumas não emprestei nada a não ser a minha reverência. Elas falavam e continuarão falando por si sós. Assim mesmo, quis relembrar à memória nacional algumas passagens de vidas extraordinárias, umas bastante conhecidas e outras nada ou nem tanto, mas todas igualmente extraordinárias.

Em poucos casos revelei as identidades, em alguns mantive o segredo por respeito aos protagonistas e às famílias e também porque, muitas, não conheci a identidade. Só soube do fato. Nos jornais e nas universidades por onde passei, todos sussurravam. Na verdade, o Brasil inteiro sussurrava. Os tempos eram de sombras e de terror.

A escuta dessas dores é o que está aí, nestas páginas que escrevi com profundo respeito e o amor mais selvagem. A crueza dos fatos e até mesmo a ficção que imprimi a algumas estão longe de realçar a verdade.

Balsa Nova, 8 de julho de 2016.

Marlene Rodrigues

O Babalaô

O Cais do Valongo amanheceu estranhamente quieto naquele dia ensolarado do Rio de Janeiro quarenta graus. Era a morte que se anunciava na batida de um tambor de choro a algumas quadras dali. No caminho, homens, mulheres e crianças vestidos de branco e levando flores também brancas, se achegavam, tristes, à casa de segredos da Ialorixá Mãe Camila, filha de Oiá e de Ogum. Iam despachar o Egum do pai de santo, o Babalaô Pedro Ernesto, filho de Euá e de Ossaim, médico na vida profana e oficial da marinha que agora estava a caminho do Orum.

Tinha liderado uma facção da revolta dos marinheiros contra o golpe de Estado já em avanço no interior de Minas Gerais, no início de 1964. Não estava muito longe de ser comunista. Só se interessava por saúde, educação e justiça. Nunca leu Marx e pouco sabia de Lênin e Trótski. Não era de literatura. Gostava e era da ação concreta e objetiva, do ato, da atitude. Por causa disso, entusiasmou-se com o programa de reformas de base que Jango se propunha a fazer nessas e em outras áreas. Achava que, se implementadas, o Brasil estaria a caminho da justiça social necessária à nação. Era uma certeza que ele não escondia. Falava com muito vigor de seus ideais de igualdade de direitos pra todo mundo.

Foi preso assim que se deu o levante e mantido no Princesa Leopoldina por sete meses. Sofreu torturas mais psicológicas do que físicas, mas acabou baleado com gravidade quando, na popa do navio, tentou acudir um soldado armado em convulsão epiléptica. O jovem não largava a metralhadora, mão crispada e dedo preso ao gatilho. Muita gente iria morrer ali.

Foi devolvido à família ferido e sem esperanças de salvação. Cinco dias depois faleceu. Tinha quarenta e um anos.

Agora, naquela manhã triste, os abatés anunciavam a morte do Babalaô. O candomblé todo morria com ele. Nenhum orixá viria ao terreiro, nenhum transe, nenhuma iniciação aconteceria. A hora era de aflição, de despacho e de homenagens a Oxalá, criador dos orixás. Os tambores choravam a morte.

O candomblé inteiro se vestiu de branco, a cor de Oxalá. Desde a porta de entrada até a de saída, dentro e fora dos limites da casa de Mãe Camila, tudo foi coberto de branco. Era a cor do luto, o tempo da morte. A todos, filhos de santo ou não, cumpria rezar profundo pela identidade individual e imemorial do pai de santo, filho de Ossaim, o senhor da ciência e das ervas, e de Euá, a senhora das fontes e das terras dos mortos. A repressão não concordava. Era subversivo e ainda por cima militar e traidor. Não merecia nenhuma cerimônia.

Todo o candomblé de Mãe Camila, os filhos e as filhas dos orixás, acomodados em esteiras de palha e em murmúrio contínuo ao ritmo obsedante dos tambores, tratavam de proteger o morto do ataque de Exu, orixá dos caminhos, quando de sua passagem para o Orum. Só não conseguiram proteger a si mesmos. A repressão chegou armada de fuzis e cães *rottweilers*, invadiu a casa, desbaratou a cerimônia, vandalizou os espaços do sagrado, despedaçou os abatés e os atabaques, prendeu a Ialorixá, os alabês e o Ogã, aterrorizou as gentes do lado de fora do terreiro e fechou a casa. Os orixás estavam proibidos de se manifestar. Os tambores cessariam de chorar.

Não foi o que aconteceu. Pouco depois, ao entardecer, um tambor de choro se ouviu por todo o entorno do Cais do Valongo. Tão aflito quanto ao amanhecer. Chorava a pátria.

Não foi a primeira vez que o Exército invadiu um terreiro. Muitos haviam sido invadidos em todo o território nacional nas madrugadas de festa dos orixás. A repressão não respeitava sequer os iaôs, nem os ebômis em transe, nem a iniciação, nem os barcos, nem as artes divinatórias. Desconfiava que as mães de santo escondessem subversivos e foragidos da ditadura. Muitas delas esconderam mesmo, eram mães. Muitas delas e também as equedes e os iaôs fizeram mais do que isso, alimentaram, protegeram, facilitaram a fuga, pagaram os advogados para livrar seus filhos das prisões e das casas da morte. Ninguém se acovardou. Tinham a proteção de Xangô, o senhor da justiça, e de Oxóssi, o patrono do candomblé em terras brasileiras.

Dia seguinte, o Valongo amanheceu ensolarado e vivaz. Do cais ouviam-se os atabaques, os tambores da vida. Era o tempo da luta. Outra vez.

A Resistência

Estavam velhos, mas se comoveram com o ardor dos vinte anos diante da imagem televisiva dos 300 jovens advogados chineses, que em 2014 saíram às ruas de Hong Kong, em noite recente, portando velas acesas e pedindo paz a Pequim, em razão da revolta dos estudantes pela imposição da tirania.

Eles também haviam sido jovens advogados. Os dois também tinham saído às ruas no início da carreira e ido para os tribunais em defesa dos direitos humanos durante a ditadura brasileira. Eram recém-casados, tinham muitos planos para a vida em comum e queriam um país livre para os filhos que teriam um dia. Hoje ainda se obrigavam à luta pelos direitos humanos; ela, na Procuradoria do Estado, e ele como desembargador. Ambos vigilantes. Continuavam lutando pela justiça e as liberdades individuais e constitucionais. Luta inesgotável, em permanente mudança, sempre necessária, jamais vencida.

Quando foram pegos pela Operação Bandeirantes, advogavam em favor de presos políticos, quase todos artistas, para que lhes fossem assegurada a integridade, a vida e a liberdade. À tirania não bastava capturar e torturar os brasileiros desejosos do retorno ao Estado de Direito e à liberdade democrática. Era preciso também apreender as manifestações culturais de luta pela democracia e prender quem se atrevesse a fazer qualquer defesa dos direitos humanos ou da nação. A arte, fosse qual fosse sua expressão, era insidiosa, revelava o espírito da gente, sua insatisfação, seus desejos, continha em qualquer forma de expressão o germe da rebelião, então precisava ser coibida, censurada, reprimida, esmagada e eliminada em todas as suas manifestações, não importava a que custo ou perda para a história e a nação.

Ele foi esmurrado desde a prisão e chegou à Oban já ferido e sangrando. Ela era filha de um general da reserva e estava grávida de sete meses. Foi poupada da tortura, mas não da humilhação da nudez nem da violência psicológica e do destino doloroso do homem que amava, pai do filho que em breve iria nascer. Posta em cela contígua à sala em que o marido foi cruelmente torturado durante vários dias, ela ouviu seus gritos e também seus pedidos de desculpas por não conseguir suportar a tortura em silêncio.

O general, que tinha sonhado um futuro radiante para a filha e para o genro, outro filho, tinha prestado serviços à nação a vida toda em várias partes do país, conviveu com a miséria, a doença e a ignorância da população tentando minimizar sua condição sempre desesperadora, fazendo e realizando projetos de saúde, educação, segurança, preservação ambiental, moradia e ensino agrícola em parceria com instituições públicas e privadas. Conhecia as dores do mundo. Por onde passou em sua longa carreira militar, seus subordinados e os recrutas trabalharam distribuindo conhecimento e solidariedade. Ele podia entender a alma da resistência.

Chegou ao quartel do Segundo Exército para ver a filha de cabeça erguida, passos fortes e ar de líder. Se estava intimidado ou constrangido, ninguém percebeu. À sua passagem todos bateram continência. Levava dois livros, barras de chocolate e desespero em todo o seu ser. Ninguém percebeu. As Armas lhe tinham concedido licença e também a garantia de que sua filha não sofreria nenhuma tortura e que o neto nasceria fora da Oban. Não sabiam onde, mas garantiam a integridade e a liberdade de quem estava por nascer. Dos advogados, filha e genro, isso já era outra história, não podiam ter complacência, os dois conspiraram contra a pátria ao defenderem inimigos do regime. Em outro país sua execução seria sumária.

Não puderam abraçar-se, pai e filha, apenas tocaram-se as mãos através das grades, ela chorando muito, ele impassível. Não trocaram uma única palavra, mesmo com os militares postados a distância em atitude respeitosa. Palavra alguma podia expressar a dor, o sofrimento, a angústia daquele momento. Quando ela abriu os livros, os dois de poesia, muitos versos estavam grifados em amarelo brilhante e fosforescente de modo a serem legíveis até mesmo no escuro. Falavam de esperança, de recomeço, de nascimento, de liberdade.

Ao sair, face ainda mais vincada do que quando entrou, cabeça erguida, passos fortes e ar de líder, o general ouviu a filha cantando a canção de ninar que ele lhe cantava na infância. À sua voz juntaram-se outras vozes. Ele ouviu de longe e o coração apertou, eram muitas vozes, vozes de quem se acreditava lutando pela pátria. Se saíssem vivos dali, nenhum sairia ileso. Mesmo assim ficou mais aliviado, a filha e o genro não estavam sozinhos. Seu neto nasceria em liberdade. Altivo, ergueu os ombros que lhe pareciam carregar o peso do mundo e apertou o passo. No percurso até a guarita todos lhe bateram continência. Soldados não cantam canções de ninar.

No dia seguinte, ela leu em voz bem alta os dois livros para que os presos das celas contíguas ouvissem. Depois, ela foi lendo repetidas vezes os mesmos versos e os presos que a ouviam foram repetindo cada poema em voz bem alta para que os presos distantes também ouvissem e o repetissem para os companheiros mais próximos. Era a resistência. Confinada, torturada, despedaçada, mas viva.

Durante todos os dias que viriam, os presos recitaram em voz cada vez mais alta e de cela a cela todos os versos grifados pelo general. Falavam de esperança, de recomeço, de nascimento, de liberdade. Daí a cantarem juntos as canções de protesto pelas quais os artistas brasileiros pagavam o preço da prisão e do exílio foi um movimento instantâneo. Quando Fleury não estava no quartel em infindáveis reuniões de estratégia do Esquadrão da Morte, até os carcereiros cantavam Chico, Gil e Vandré. Era a resistência. Confinada, torturada, despedaçada, mas viva. Hidra alguma a venceria.

O Clandestino

Ninguém sabia quem ele era. Até sabiam alguma coisa, era linguista, professor universitário, seria capaz de dar um semestre inteiro absolutamente sedutor só sobre o ponto de exclamação, a crase, o apóstrofo e o acento grave. Também daria cursos e mais cursos até de pós-graduação sobre as 149 figuras de linguagem do português tupiniquim. Amava as línguas, os idiomas, a etimologia, a tradução, a escrita, as culturas. Sua paixão era a palavra, a força, o poder da palavra. Divertia-se com os neologismos, os atos falhos, os trocadilhos, os eufemismos. Era cativo das metáforas e das metonímias, alcançava o fundo inefável das palavras.

O que dele também se sabia é que era tradutor e intérprete pelo visto muito requisitado, porque se ele sabia alguma coisa de fato isso era o inglês, o alemão, o árabe, o japonês, o russo e o mandarim. Escorregava nos idiomas latinos, mas dava pro gasto, até pra traduzir com fidelidade as Catilinárias, García Lorca, Santo Agostinho e Sartre. Só não sabiam a sua identidade. Era 1977 e ele andava de lá pra cá e em casa de amigos que não conhecia. Ficava uma semana ou duas com um e outro até sentir que não estava seguro ou que estava pondo em risco esses desconhecidos amigos que o abrigavam. Era cidadão brasileiro clandestino em seu próprio país.

Um dia conheceu na casa de Maria Antonia Vergueiro, que o escondia havia duas semanas, a jornalista que nas salas de aula desafiava a ditadura falando das liberdades como direito e necessidade da pessoa humana para marcar sua passagem pelo mundo e legar civilidade aos que viriam depois. O encantamento foi mais forte que os cuidados com a própria segurança e um dia inesperadamente apareceu em sua casa. Era uma tarde muito azul e ela não estava. Era repórter, estava nas ruas acompanhando as passeatas dos estudantes, pondo-se em risco, a repressão calando as bocas e a imprensa debaixo de impiedosa censura. Depois, iria para uma das quatro faculdades onde à noite era professora rebelde. Voltaria tarde. Ficou frustrado, mas adorou saber que ela tinha quatro filhos pequenos e os criava sozinha para a liberdade. Ainda mais encantado, voltou para o esconderijo, agora mais incerto do que nunca sobre o rumo que daria à sua vida. Só sabia e só queria saber daquela paixão. Estava irremediavelmente envolvido e queria aquela mulher e aqueles meninos mais do que tudo.

À época dizia-se Carlos em homenagem a Prestes e a Marighela. Ela e as crianças não saíam de sua cabeça. Tinha uma vontade incontrolável de revê-los, de levar-lhes alegria, coisa que ele confiava lhe ser possível mesmo vivendo dias de tanta incerteza, de tanta angústia e de tanta luta e sacrifício por amor ao país e à democracia. Tinha brincado muito com ilusionismo na adolescência e talvez ainda se lembrasse de alguns truques, de algumas ilusões de ótica, de algumas histórias, e então pudesse, uma tarde ou outra, brincar com as crianças daquela mulher de coragem tão desassombrada. Esqueceu a prudência e foi.

Chegou à hora do almoço e soube que ela o deixara quase pronto e que o preparava todas as noites quando chegava de outra cidade já muito tarde, perto de meia-noite. A babá o finalizava no dia seguinte assim que as meninas chegavam da escola. Os meninos ainda eram muito pequenos, só brincavam. Almoçou com gosto, fazia tanto tempo que não comia no aconchego de uma casa com mãe, filhos, uma família enfim! Mesmo ausente, ela lhe parecia presente, não saía da sua cabeça. Então não foi embora logo. A vontade era de ficar o máximo possível, até pra sempre. Gostava daquela casinha, da alma que se via ali quase materializada, dos livros dela, da máquina de escrever sempre com texto interrompido aguardando o final que ela provavelmente lhe daria logo mais pela madrugada adentro, dos quadros dos seus alunos da Faculdade de Belas Artes dispostos com bom gosto nas paredes, da forma como enfeitara e deixara tudo tão aconchegante. Amava os coelhos se reproduzindo no fundo do quintal, o dr. Florêncio, gato malhado e cor de mel que andava pra cima e pra baixo trôpego como um bêbado, as samambaias de metro suspensas chegando até o chão, tão viçosas e bem cuidadas, o jardinzinho cultivado com tanto esmero e que, com certeza, tinha o trato das mãos dela.

Ficou e brincou a tarde toda com as crianças encarapitadas no beliche, muitas risadas e total deslumbramento. Descobriu as cartas do baralho que cada uma escolheu depois de embaralhado duas vezes, não errou nenhuma, acertava todas, as crianças estavam perplexas; tirou uma moeda da orelha de um dos meninos, transformou o lenço vermelho em uma flor e ofereceu-a galante a uma das meninas, desvencilhou-se com facilidade da corrente impossível de se desvencilhar enrolada como fora, mostrou uma nota de um cruzeiro bem aberta para cada um dos quatro pares de olhos arregalados, picou-a em mil pedacinhos, não valia nada mesmo, empurrou todos os pedacinhos entre os dedos fechados em cone, abriu a mão e ali estava a nota inteirinha mesmo não valendo nada. Não fez só mágica, conhecia muitos idiomas, muitas culturas e então passou a contar histórias da literatura infantil de outros países, porque a criança brasileira tinha à sua disposição na televisão o *Sítio do Pica-Pau Amarelo* e ele não era tão mágico assim a ponto de competir com Monteiro Lobato e a TV Cultura.

Daí por diante, Carlos, o Mágico, não mais pensou no perigo, foda-se! e passou a fazer mágica e contar histórias para as crianças da rua toda. Era uma rua de apenas duas quadras, nem tinha nome ainda, era só rua A do distrito de Santo Amaro, em São Paulo. Não tinha nome, mas tinha dezoito crianças — dez meninos e oito meninas — que o elegeram o mágico oficial da rua sem nome e o esperavam com ansiedade todos os dias. Seu destino estava escrito e reescrito. Ele não podia mais deixar de ser quem era agora, portanto, às favas com a segurança! Além disso, tinha mais um motivo: ela fazia um feijão inacreditável! Ninguém o fazia igual! E o bife que ela temperava e deixava pra babá fritar na hora! Era divino! E olha que ele entendia de carne, era gaúcho!

Atravessou a cidade muitas vezes em pleno dia. Por causa das crianças. Por causa das histórias que queria contar aos meninos. Por causa do feijão e do bife. Por causa da máquina de escrever em texto interrompido e que garantia que ela viria. Por causa dela. Por causa da ilusão. As crianças o amaram. Ela não.

Pouco tempo depois, ele sumiu. Da casa que o abrigava. Da rua A. De São Paulo. Do Rio Grande do Sul. Nunca ninguém mais soube dele, linguista, professor universitário, tradutor de muitas línguas, gaúcho, conhecedor fluente de quinze idiomas, contador de histórias e mágico oficial de uma rua sem nome.

Ela só soube dele quando da publicação das fotos dos desaparecidos muito tempo depois da anistia aos exilados. Ele estava lá.

A Manchete

Ambos eram jornalistas. Ambos eram professores universitários. Ela em início de carreira nos *Diários Associados*, ele supostamente no fim porque, mesmo aposentado de modo compulsório pelo AI-5, continuou trabalhando na origem do homem paleoamericano e na batalha contra o roubo e a destruição dos sambaquis da orla paulista pela indústria de cal, a exploração comercial e também por intrusão e interesses estrangeiros. Era arqueólogo. Ela, psicóloga, ambos autodidatas tanto no jornalismo quanto nas ciências. Haviam feito direito, ela incompleto, ele completo. Ambos sabiam e amavam as funções do direito. Ambos eram amantes da ontologia. Ele não queria que nada se perdesse da saga, da história do homem. Por isso reverenciava a vida pregressa como fundamento e a imediata como semeadura do futuro. Ela amava a criança. Ele amava a vida vivida. Ambos queriam educar. Ambos amavam o devir. O futuro demandava a sensibilidade e a história de cada homem, de cada mulher, de cada criança.

Ela não sabia o que a esperava naquele dia remoto após o ato institucional que fechou o Congresso Nacional e as Assembleias Legislativas dos Estados, extinguiu os partidos políticos colocando os inconformados na clandestinidade, cassou mandatos, cancelou direitos políticos, modificou o Poder Judiciário, eliminou o *habeas corpus* do direito pátrio, expurgou e exilou as melhores mentes do país em todas as áreas da atividade humana, desmantelou centenas de iniciativas sociais para o bem público, desfez dezenas de institutos de pesquisa e educação em todo o país, determinou censura rigorosa a todos os órgãos de comunicação e às mais diversas formas de arte, retirou de circulação livros e obras de arte e tornou corriqueiras a prisão, a tortura, o desaparecimento e a morte de quem individual ou coletivamente se opusesse ao regime. O governo militar agora era soberano e legislaria por decreto.

Era jornalista recente, mas já contava com o respeito de Wilson Gomes e de Nelson Veiga que, no revezamento dos plantões, dividiam a chefia de reportagem nos *Diários Associados* da Rua 7 de Abril, em São Paulo. Nem acreditou quando recebeu e assumiu a pauta. Todo mundo a cobiçava. Tratava-se de ouvir o arqueólogo Paulo Duarte, recém-cassado pela ditadura, e que parecia não temer a crueldade institucionalizada. Era isso mesmo que estava escrito na pauta: ouvir! Não era entrevistar, era ouvir! O homem era vulcânico, avassalador! Tudo quanto dizia era denúncia e denúncia das bravas, das que vão às profundezas dos fatos e devastam absolutamente tudo! Denúncias que atingiam o governo, os empresários, a ingerência estrangeira no Brasil, as multinacionais, as Forças Armadas.

Cuidado nas palavras ele não tinha, mas com o repórter da vez não descuidava, logo dizia: "Quero aspas em tudo o que eu disser. A responsabilidade é totalmente minha! Quero aspas frase por frase!". Ainda assim o momento exigia coragem porque, só de ouvi-lo, o repórter precisava ter coragem, ia escrever a matéria e se conseguisse publicar mesmo com aspas ia enfurecer a tirania. Ela entendeu, admirou-o ainda mais e assumiu. Não ia desistir logo ao primeiro combate.

Repórter novata, nem tinha passado ainda pelo temível teste da calandra, ela mal respirava ouvindo aquele verdadeiro deus tonitruante lançando palavras letais contra a ditadura. Não era à toa que tinha conhecido o exílio três vezes. Sua história contra os desmandos dos governos vinha desde Getúlio Vargas. Sua coragem na luta pelas liberdades e pelos direitos era conhecida em muitas partes do mundo, mas ele era um notável também na arqueologia. Seu trabalho era reconhecido fora do Brasil de tal modo que chegou a ganhar do Museu do Homem, em Paris, o equivalente na época a um milhão de euros para a fundação do Instituto de Pré-História da Universidade de São Paulo.

Ela mal podia acreditar que estava diante daquele gigante de aparência estranhamente frágil. Era alto e muito magro, olhos muito escuros guardando enigmas e profundidades, sofrimentos de vastas tiranias do passado e do presente manifestos nos gestos, na tremulação das mãos grandes encobertas por pele muito fina, na expressão carregada de indignação e revolta, na voz muito clara, mas de tom cortante.

Quando ele começou a falar, advertindo-a da necessidade das aspas, queria referir-se especialmente ao "criminoso" feito ministro da Justiça e da Educação pelo governo militar. Os brasileiros precisavam saber quem respondia pela justiça, pela educação e pela cultura no país. Provavelmente os jornais de Assis Chateaubriand não publicariam o que estava dizendo, havia censores civis e militares em todas as redações, mas queria arriscar. Era jornalista. Sua missão era informar. Era educador. Sua missão era lutar pelo ensino e pela pesquisa. A nação tinha direito de saber a realidade e de aprender e usufruir o conhecimento que estava sendo vilipendiado nas universidades e nos institutos de pesquisa.

Ela o compreendia e o amou profundamente naquele encontro irrepetível e também depois ao longo da vida e das carreiras. Também era jornalista e educadora. Sua missão também era informar, aprender, pesquisar e disseminar o conhecimento e a realidade. Aprendeu frente a frente com aquele homem único o que era assumir a coragem, o despojamento e a ética indispensáveis à vida social e politicamente boa e justa.

Ele não poupou ninguém nem hesitou, tinha certezas, conhecia verdades e elas lhe davam a coragem necessária. Denunciou o que chamou de terrorismo cultural nas universidades, a perseguição aos professores e pesquisadores de todas as áreas do saber, especialmente os zoólogos, os físicos, os parasitólogos, os indigenistas, os sociólogos, os educadores, todos aqueles enfim que, no âmbito das suas ciências, ameaçavam de certo modo os múltiplos acertos políticos com universidades e governos estrangeiros.

Sua coragem era sem limites e continuou desfiando as denúncias sem vacilar em nenhum momento. Parecia não ter medo de nada nem de ninguém. Expôs o clientelismo que arrebatou e comprou dezenas de intelectuais para o apoio aos atos da ditadura, nomeou com todas as letras quem eram esses intelectuais, onde atuavam antes, durante e depois do golpe. Apontou os juristas responsáveis pelos atos institucionais, denunciou as prisões, o exílio e a tortura, as aposentadorias compulsórias, o êxodo dos cientistas, o desaparecimento e a morte de muitos. Não economizou e declarou o nome dos que se juntaram à ditadura e cometeram crimes e atrocidades inacreditáveis.

O sofrimento materializava-se nas suas palavras e ela, ouvindo fascinada, mal sabia como comportar-se. Não podia cair no choro, também não podia abraçá-lo, dar-lhe algum conforto. Estava fazendo sua estreia no jornalismo havia poucos dias, aquela era uma revelação colossal, aquele homem era um guerreiro, um demiurgo, senhor dos ventos e das tempestades. Ela sobreviveria? Ele sobreviveria?

Um nome em particular era o cerne da denúncia. Tratava-se de Luiz Antonio da Gama e Silva, jurista renomado, ex-reitor da Universidade de São Paulo e ministro da Justiça dos dois primeiros governos militares. Era ele o autor do AI-5. Foi ele quem assegurou legalidade à tirania para violar os direitos humanos. Tinha escrito o documento muito antes de 13 de dezembro de 1968 e, cinco meses antes, vinha insistindo para que o general presidente o acolhesse como forma de tolher todos os movimentos pela restauração da democracia. Castelo Branco, legalista, recusou-se a assiná-lo, continha barbaridades despropositadas até para o governo militar. Só foi assinado depois que o general Costa e Silva, da linha dura, abrandou seus termos (!). Se tivesse sido decretado nos termos originais, as crueldades contra os cidadãos teriam sido ainda mais devastadoras. O documento defendia medidas de caráter francamente nazista, era de uma brutalidade sem limites e causou repulsa inclusive entre os generais da Segurança Nacional.

Gama e Silva não redigira apenas o AI-5, redigiu vários outros atos institucionais: o 13 legalizava a pena de banimento, o 14 a pena de morte para além das situações legisladas pelo direito militar em caso de terrorismo e de guerra, o 15 legitimava o fuzilamento em 30 dias para condenados que não fossem contemplados com

As Medalhas

Não pediu e não aceitou a anistia que lhe foi concedida pela ditadura dez anos depois de ter sido preso, maltratado, perseguido, cassado e caçado. Não era comunista, não se ligava a nenhum movimento de oposição ao regime, não tinha desonrado a Força Aérea Brasileira em nenhum momento de sua vida como paraquedista do Para-Sar em missões de busca e salvamento nas selvas brasileiras, ganhara quatro medalhas por bravura pelos muitos anos de serviço arriscado e diligente e nunca tinha cometido nenhum ato de rebeldia contra a hierarquia militar.

O crime que justificou a prisão, as humilhações, a perda do que amava e a cassação de seus direitos políticos era justamente a quebra pública presencial e por escrito dessa hierarquia num malfadado 14 de junho de 1968 em encontro convocado por duas altas patentes da Aeronáutica para informar as novas funções do Para-Sar e oficializar suas ordens.

Era inacreditável! Mesmo em tempos de guerra as missões do Para-Sar sempre foram pacíficas e de socorro, mas agora estava autorizado a prender, intimidar, ferir, torturar e até matar em manifestações de rua ou em outras situações de resistência ao regime. A ordem oficial era absolutamente aterrorizante: os quarenta e um paraquedistas convocados deveriam planejar e executar vários eventos de terrorismo que, depois, seriam atribuídos aos comunistas e aos movimentos de resistência. Àquele comando não importava a tragédia de quem quer que fosse, aliados ou não. "Era preciso aprender a matar na guerra para salvar em tempos de paz." Também "era preciso saber matar em tempos de paz para cumprir missões de morte na guerra", conclamaram os generais com a naturalidade e a arrogância de quem não admite contestação.

O plano era sinistro: os paraquedistas, vistos e amados pela população como "os anjos do espaço" em permanente prontidão para operações de salvamento não só em matas inóspitas, mas também em zona urbana, deveriam, no início de outubro daquele ano, explodir a Sears, o Citibank e a Embaixada dos Estados Unidos no Rio de Janeiro. A imprensa divulgaria incansavelmente as tragédias, mostraria pela televisão as ações terroristas então creditadas aos insurgentes. As rádios falariam o tempo todo da dor e do sofrimento das famílias e dos cidadãos brasileiros e americanos atingidos pela tragédia. Os jornais contariam com detalhes como e o que os terroristas usaram para explodir a vida e o futuro de brasileiros e estrangeiros no país. A escolha da loja de departamentos, do banco e da representação diplomática que seriam levados pelos ares foi cuidadosamente pensada. Era estratégia sangrenta, ardilosa e perversa. Cidadãos americanos seriam inevitavelmente mortos e feridos. A repercussão seria internacional. Era exatamente o que se queria.

A tragédia não acabaria aí. O plano tinha uma extensão e uma intenção ainda mais vastas. Depois, quando a comoção pública se espalhasse pelo país e o continente, os paraquedistas deveriam explodir quase que simultaneamente a Represa de Ribeirão das Lajes e o gasômetro do Rio de Janeiro, situado no início da Avenida Brasil, próximo à Estação Rodoviária e na hora do *rush*, logo ao cair da noite. Mais de mil pessoas morreriam, milhares seriam gravemente feridas, milhares perderiam seus entes queridos, centenas de famílias seriam destroçadas, o pânico se alastraria. O caos seria absoluto, mas o preço valia a pena, ora se valia! Daí por diante, as Forças Armadas poderiam fazer quantas matanças fossem necessárias para eliminar os comunistas. A população apavorada, ferida de morte e em desespero iria aprovar e incentivar a tortura e os massacres.

Em meio ao caos, à comoção, ao pânico e à escuridão causada pela explosão da represa produtora de energia elétrica, os militares surgiriam milagrosa e rigorosamente bem equipados para ajudar, socorrer e implantar a compaixão e a solidariedade. Outro ganho imenso e previsível!

Também em meio ao caos, estava prevista a prisão de quarenta líderes políticos, que seriam lançados de um único avião, de cinco em cinco em pleno oceano a quarenta quilômetros da orla. Os dois comandantes faziam questão de eles mesmos lançarem os desgraçados ao mar. O primeiro dessa lista era o governador Carlos Lacerda, inimigo feroz do comunismo, mas que, diante das atrocidades do regime, criara uma enérgica frente de oposição à insanidade instituída. Os outros eram Juscelino Kubitschek, que queria ser presidente democrata outra vez; Jânio Quadros, cuja voz pela democracia poder nenhum calava; dom Hélder Câmara, arcebispo do Recife, que não concebia governos sem cristandade e compaixão; o general Olympio Mourão Filho que deu início ao golpe de Estado no interior de Minas Gerais já em 31 de março, e outros trinta e cinco militares e civis, todos apoiadores do regime militar logo de início, mas que face a face com a tirania tornaram-se críticos ou em oposição aberta à ditadura. Enfureciam e desequilibravam o estado de exceção. Tinham que desaparecer. Necessariamente.

O sucesso do plano seria total! Os atentados atribuídos aos comunistas causariam comoção no mundo livre e o Brasil, inevitavelmente, se tornaria beneficiário de um novo Plano Marshall. Para continuar preservando sua hegemonia no cenário político e econômico do mundo e consolidar o imperialismo nas Américas, agora, mais do que nunca, os Estados Unidos considerariam estratégico fazer investimentos trilionários no país, tal e qual já tinham feito em benefício da Europa logo depois da Segunda Guerra Mundial. Em suma, o Brasil finalmente conquistaria o invejado padrão de vida europeu.

Era perfeito! Os brigadeiros exultavam! Tinham pensado em tudo, no antes, no durante e no depois da operação criminosa. A Aeronáutica iria demonstrar sua força diante das outras Forças Armadas. Iria impor ordem ao país custasse o que custasse. Nenhum método, por mais cruel que pudesse ser, seria rejeitado no combate ao comunismo. Pouco lhes importava o genocídio.

Só não contavam com um NÃO! Quem os enfrentou foi justamente o capitão Sérgio Miranda de Carvalho, a quem caberia o comando das operações e que, ao final das ações sangrentas, faria jus à quinta medalha da sua carreira por bravura em missões de risco e heroísmo! Assim que o plano fratricida foi exposto e as ordens oficializadas em meio à perplexidade e tensão crescentes, o silêncio dos oficiais a cada segundo mais pesado se quebrou à voz firme do capitão: "Isso não vai acontecer, brigadeiro. A presença de dois generais no comando não é o bastante para dar legalidade a missões oficiais. É a sua natureza que torna uma missão legal e moral. Não é o caso das suas ordens. Enquanto eu viver e puder evitar, isso não acontecerá".

Diante do inesperado e da jamais tolerada quebra da hierarquia militar não restou escolha ao general enlouquecido senão vomitar fúria, arrogância e ódio mandando o capitão subordinado calar a boca. Não calou! Respondeu claramente e em tom altivo que jamais se calaria diante das atrocidades planejadas. Jamais comandaria insanidades de quem quer que fosse e, mais, denunciaria imediatamente o plano ao ministro da Aeronáutica e ao comando de sua unidade.

Denunciou. Em viva voz e por escrito.

Além do mais, o Para-Sar era unidade de busca e salvamento, não tinha funções repressivas e muito menos sanguinárias. Também não era subordinado ao brigadeiro genocida. Seu comandante era o brigadeiro Itamar Rocha que, de imediato, moveu um interrogatório na unidade e teve a confirmação maciça do terror então planejado fora da sua jurisdição. Porque se deu a esse trabalho foi punido também de imediato. O relatório resultante lhe valeu prisão domiciliar.

Quanto ao capitão Sérgio Miranda de Carvalho, a quem o Rio de Janeiro deve a vida de mais de mil pessoas e a integridade de milhares de outras, esse conheceu o peso dos galões dos brigadeiros denunciados. Foi preso, humilhado, destituído de suas funções no Para-Sar, ameaçado de morte muitas vezes e cassado no ano seguinte. Respondeu a inquéritos sigilosos na FAB, no SNI e no Ministério da Justiça, foi absolvido em todos pelo Supremo Tribunal Militar, mas não foi reintegrado à FAB. Viveu o resto da vida no Rio de Janeiro, lutando pela sobrevivência sempre extremamente difícil por causa do estigma que a ditadura lhe impôs. Em 1974, o brigadeiro Eduardo Gomes, patrono da Aeronáutica, apelou por justiça ao presidente Geisel que, como os outros generais presidentes, também se mostrou insensível.

Nunca mais voltou à selva amazônica que ele amava tanto, nunca mais pôde conviver com os txucarramãe, os juruna e os kalabi que tinha ajudado a pacificar, nunca mais passaria as férias com os três filhos entre os índios de quem era Nambigua Caraíba, homem branco amigo, outro Rondon, agora jovem e alado.

A única vez que se posicionou corajosamente contrário às ordens oficiais foi para evitar milhares de tragédias nascidas de mentes insanas seduzidas pela glória e o poder. Amava a pátria mais do que tudo e por ela entregou à sorte o seu destino.

A nação ficou a dever-lhe milhares de medalhas. Todas por bravura.

O Delegado

Nascera de família humilde, o pai lavrador em terra alheia e a mãe empregada doméstica em casa do patrão. Moravam numa tapera, o pai e a mãe sempre desesperados, mesa esquálida, crianças esquálidas, animais também esquálidos, muito especialmente o cachorro, coitado!, sempre sarnento e morto de fome! Quase tudo dos salários minguados do pai e da mãe pagava apenas parte da conta na venda dos patrões. Estavam sempre devendo. A comida era fraca, pouca e sempre a mesma, mas, mal ou bem, tinham teto, teto ruim, mas teto, até que cobria. Protegia da noite, das chuvas, dos ventos, das cobras e dos escorpiões. Com a bênção de Deus tinham serviço e de vez em quando alguma regalia. Também de vez em quando os patrões, sempre generosos, ajudavam com algum remédio, alguma roupinha usada e o leite diário para os muitos filhos que não paravam de nascer. Tinham que levantar as mãos para o céu! Gente tão boa nem Deus sabia que existia!

Era o sexto dos treze filhos, quase todos ajudando o pai na roça e fazendo trabalho de gente grande no corte da cana. Não gostava do que fazia e queria salário, tinha direito. O patrão não pagava as crianças, só o pai que até achava bom o salário de fome. Isso era muito errado. Então ele queria salário. Queria porque queria, exigia, era o justo. O pai repreendia: "Menino, isso é ingratidão com o pai, a mãe e o coronel. Não *tá* satisfeito, pode ir pro mundo. A comida é pouca. Se tiver menos bocas, a gente até vai gostar!".

Não estava satisfeito. Não ficaria satisfeito nunca. Foi embora e pra rua. Da rua foi pro cais do porto e, na pensão do lugar, arranjou um bico que ele mesmo inventou de buscador de marmita e entregador de comida para os estivadores. Se eles não fossem comer na pensão todos os dias sujando as toalhas, as louças, os talheres e os sanitários, a comida ficaria mais barata. Além disso, a dona da pensão teria mais fregueses se eles não levassem comida de casa para a estiva, teria mais lucro. Era vantagem pra quem fazia a boia e pra quem comia, todo dia tinha almoço pobre, mas quentinho, fresquinho, do dia, de vez em quando uma carninha, uma linguiça, um ovo frito. Então, todo mundo tinha marmita lavada e areada diariamente pelo mal-agradecido. Em troca, comia de graça, tinha um canto para dormir e um dinheirinho, pouco, mas só pra ele, não precisava dividir com ninguém. Até podia dar os restos do prato e das marmitas pros vira-latas magros e sarnentos que a cada dia se multiplicavam. Cada dia mais sarnentos, cada dia mais mortos de fome.

Teve sorte o menino. O alumínio reluzente das marmitas chamou a atenção do administrador do porto. Ficou encantado com o capricho, a inteligência e a disposição do menino para o trabalho e a cada dia ficava mais interessado em suas histórias, também não gostaria de trabalhar sem salário, também não achava justo, também não gostaria de ver a família passando necessidade, só comendo feijão e farinha, às vezes um ovo e achando que estava tudo bem, graças a Deus! Então, apostou no menino: levou-o para casa, deu-lhe pai, mãe e irmãos, mandou-o para a escola junto com os dois filhos e lhe mostrou que o mundo podia ser generoso.

Pra encurtar a história, o menino virou homem, foi pra capital, trabalhou numa livraria, virou um leitor voraz, sabia das coisas do mundo, fez o curso de direito, casou-se, teve filhos gêmeos, montou o escritório que não deu certo, partiu para um curso de pós-graduação em direito processual e, em 1962, fez o concurso público para delegado de polícia. Tirou o primeiro lugar e até teve direito de escolher a delegacia. O mundo era bom. Ele também.

Nem a mulher, nem os amigos achavam que ele era homem para a polícia. Nem ele achava. Não era enérgico nem truculento o bastante para lidar com marginais. Também não era pessoa talhada para lidar com policiais, gente rude, fria, sem ilusões. Não era homem para grosserias e crueldades, políticas, funcionais ou não. Foi para a polícia porque o salário era líquido e certo, não muito bom, mas afinal líquido e certo. A família que ele amava acima de tudo e pela qual valia a pena qualquer sacrifício não passaria privações, os gêmeos poderiam ter uma infância feliz, ir pra uma escola melhor, a mesa seria farta e, no lucro, ele até poderia melhorar a imagem da polícia não usando métodos cruéis com os detentos e tentando ajudá-los a viver com dignidade mesmo na cadeia. Estava convencido de que o seu bom caráter seria transformador em um ambiente conhecido de todo mundo pelas más condições e as eternas perversões do sistema carcerário. Mas lá ninguém acreditava nem gostava dele, era tudo conversa mole. Os investigadores comentavam à surdina que o jeito dele era burrice das grandes, só criava problemas, ele virava o bonzinho e tudo ficava mais difícil para quem tinha que tratar a marginália na dureza e na porrada. Era só o que eles entendiam. Também diziam entre si e até para os presos que ele não passava de um frouxo, um moloide, um total idiota, só tinha aparência de macho e isso por causa do revólver na cintura. Se não fosse pelo revólver, era só um babaca metido a besta.

Em 1964, plena ditadura, se deu conta do erro. Ele não era mesmo pessoa talhada nem para a polícia nem para a tirania instalada com o golpe de Estado. Se a vida lhe tinha sido dolorosa antes, agora seria muito pior. Não haveria Deus para acudir tanto sofrimento, tanto arbítrio e tanta perplexidade. O país estava sob o regime militar e o mal estava livre e solto, podia fazer as atrocidades que quisesse. O inferno era brasileiro.

Já estava na delegacia havia mais de dois anos. De alma torturada, cansado da miséria humana confinada em superlotação atrás das grades, ridicularizado pelos policiais e os outros delegados, e rezando dia e noite para que não o convocassem para as práticas de perseguição, tortura e morte. Não deu outra. Primeiro lugar no concurso, tinha mais que servir a pátria e de olhos fechados, sem contestação, que afinal contestação era coisa de subversivo, justamente a canalha que se queria eliminar da existência e também da história. Todos tinham que desaparecer sem qualquer clemência. Como se não tivessem nascido. Simples assim.

Sua mulher e os dois melhores amigos, filhos de quem o acolhera na infância, viam com medo e horror o país esmagado pela força, o arbítrio e a tortura. Temiam por ele, colocado na linha de frente da repressão e da censura, pelos familiares e os muitos amigos revoltados com o golpe. Temiam por eles próprios, que eram conscientes e ativos, pelas crianças e pelos pais idosos, tanta a crueldade dos interrogatórios e das prisões. Temiam até pelos bichinhos de estimação, não raro sacrificados pela barbárie desejosa de martírio e delação.

Ninguém estava a salvo, ninguém podia sequer pensar em liberdade e em democracia, quanto mais lutar por elas, ninguém era dono do próprio destino. Todas as liberdades, até as mais fundamentais, foram usurpadas e esmagadas e em todos os lugares, nas escolas, nos jornais, nas TVs, nas editoras, nas igrejas, nos domicílios, nas fábricas, nos bares, nas ruas e até nas creches, nos hospitais e nos eventos de cultura e ciência, ninguém podia se manifestar a favor ou contra qualquer coisa. A repressão era soberana. A Constituição, nascida da liberdade, não existia mais. A hidra, cada vez mais ardilosa e sanguinária, escarnecia dos direitos humanos. Humanos? Que direitos?!

Todos estavam subjugados. Ou quase todos. Eram esses, os subversivos, que ele, delegado de polícia, primeiro lugar em concurso público, tinha que prender, espancar, botar no pau de arara, eletrificar, afogar em poço de merda e usar todos os métodos de tortura ensinados pelos americanos em escola de monstruosidades, aparelhada especialmente para esse fim num quartel do Exército no Rio de Janeiro. Os subversivos, os que não se deixaram subjugar, os que tiveram coragem e entregaram suas vidas à reconquista das liberdades, eram o alvo das chacinas e, com eles, a democracia. Eram esses que ele, delegado de qualidade máxima, todas as Armas e toda a polícia tinham licença para trucidar em silêncio e, de preferência, de modo perfeitamente técnico, sem deixar vestígios e muito menos testemunhas.

Durante algum tempo delegou à equipe a prática das torturas. Depois, desesperado e insone, tão horríveis e aterradores eram os gritos, os gemidos, as invocações e as palavras de ordem ecoando dia e noite na cabeça dolorida, e como já não podia mais negar-se, ele próprio corria risco de ser preso por insubordinação e até mesmo de traição punida com a pena de morte legalizada à época pela tirania, tratou de arranjar para si pelo menos outro serviço indispensável ao regime, o de dar fim aos cadáveres e manter suas identidades ignoradas e desaparecidas. Não sujaria tanto as mãos. Se as sujasse um pouco não seria por vontade própria, a família em primeiro lugar. A mulher descobriu e o abandonou sem nem sequer deixar um bilhete. Sem conversa nem discussão. Nenhuma despedida. Nunca mais a viu. Só soube dela dois anos mais tarde: tinha sido presa sob a acusação de panfletagem contra as Forças Armadas e de reunião ilícita em escola do subúrbio. Não fez nada para saber o seu destino, vê-la, conversar, tentar garantir sua integridade. Sentiu-se mesmo um frouxo, um moloide, um vendido. Não tinha o que fazer, continuou dando fim aos cadáveres e desaparecendo com suas identidades.

Vinte e tantos anos depois, não era mais delegado. Já tinha cumprido seu tempo de serviço, mas não o de compromisso para com a pátria e consigo mesmo. Achou que na política encontraria a possibilidade de redenção e, então, não se sabe qual foi a politicagem, virou Secretário da Segurança Pública.

Não respondeu à Comissão da Verdade. Ninguém poderia obrigá-lo. Era um homem livre. Tinha cumprido ordens. Não podia oferecer a cabeça à guilhotina. Era mais uma vítima, mais um torturado, mais um desgraçado, mais um inocente. Não sabia de quem eram os corpos que tinha sido obrigado a jogar no mar, a enterrar em terra degradada, a queimar em cova coletiva e rasa ou a despejar em matas fechadas para surpresa e satisfação dos abutres. Também não sabia em que lugar os desovou, em que pedaço de mar, em quais florestas ou se no continente ou fora dele, em ilhas ou santuários ecológicos, porque usava helicópteros para a finalidade e o Brasil era grande demais, nunca soube onde estavam nem onde aterrissavam, nem onde se desfaziam das malfadadas cargas. Nunca foi informado de coisa alguma, nunca soube do itinerário e nem o destino dos planos de viagem. Os pilotos não abriam a boca, jamais deram qualquer pista. Estava limpo. Não tinha culpa. Não tinha informações a dar às famílias dos desaparecidos. Também não tinha que dar satisfação a ninguém. Tinha cumprido o seu dever. Além disso, não era nada frouxo e muito menos moloide. Só vendido.

A Castração

Entrou no quartel sem falar com ninguém. Passo firme, respondeu altivo às continências desde o sargento até o militar mais graduado. Ninguém se atreveu a falar com ele. Estava vestido com a farda de gala, o peito carregado de medalhas pelos muitos feitos em sua longa vida de prestação de serviços à nação. Sabia aonde queria ir. Sabia quem queria encontrar.

À sua chegada, o major levantou-se surpreso e reverente. Bateu continência que o velho marechal interrompeu desferindo-lhe dois tiros na virilha. O militar aterrorizado não teve tempo de esquivar-se da morte.

Saiu impassível em seu traje de gala, altivez em cada passo, nenhuma pressa e em absoluto silêncio. Ninguém se atreveu a falar com ele. Bateu continência para todos, do praça ao coronel.

Seu neto de apenas catorze anos tinha sido pego com a namoradinha na última passeata de estudantes. O major comandou a tortura. Ambos foram currados. O menino saiu uma semana depois. Sem os testículos.

O Pioneiro

Tinha paixão pela cena do crime. Não o satisfazia somente saber do fato concreto e frio, voltar para o jornal, redigir uma ou duas laudas e simplesmente informar com objetividade e frieza. Na cena do crime havia outra cena. Ele a sentia espessa, se alastrando no sangue da tragédia, querendo dizer mais do que a pauta e sua atribuição lhe exigiam.

Era repórter policial e, por trinta anos, desde o final da década de 60, frequentou mais que a banalidade dos acontecimentos e das delegacias de polícia. Sentia que, na maior parte dos crimes, o enigma se condensava como um câncer se alastrando por uma história que o jornal raramente se dispunha a contar.

Sempre sem espaço, quase sem tempo para fechar a edição diária e desinteressado do drama, o jornal não queria a história, queria apenas o fato cru: quem matou quem, quando, onde, de que modo e um porquê o mais raso possível, a não ser que o matador ou a vítima, ou os dois, fossem pessoas que escapassem do comum dos mortais.

Não pensava da mesma forma. Queria adentrar a tragédia, transitar nas dores, postar-se cara a cara com os destroços humanos imersos nos abismos de cada história, de cada morto, de cada assassino. Sabia que ali, na cena do crime, um caos humano queria se mostrar e até legar algum sentido ou falta de sentido. Ali, no crime, havia uma verdade consumada.

Quando cobriu a morte do delegado Sérgio Paranhos Fleury, em 1º de maio de 1979, não teve nenhuma dúvida. O homem não tinha sofrido um acidente, como quiseram fazer crer. Havia sido assassinado. Era uma morte prevista. Sabia, falava e fazia demais. Também se gabava demais. Foi meramente uma queima de arquivo. Ainda que tivesse sido o criminoso e torturador mais cruel do regime ao qual era aliado, seu carrasco foi a ditadura. Disso ele também não tinha nenhuma dúvida. Anos depois, o assassinato foi confirmado pelo coronel Ustra. A execução foi urdida numa mesa de bar.

Fosse qual fosse a sua natureza, não era a queima de arquivo que o intrigava. Os motivos quase sempre eram óbvios demais: as vítimas em algum momento estavam no lugar errado na hora errada, eram testemunhas de fatos que se queria permanecessem nas sombras, haviam ouvido ou falado demais, tinham provas que não podiam vir à tona. Era preciso eliminar o detentor de tanta informação. E com ele assassinava-se também a família, os velhos, as crianças, até os cachorros. Os massacres se desvelavam sem muita investigação. Os inocentes iam de roldão.

Diante de outros crimes, a interrogação o acompanhava a cada reportagem. Por que se chega tão longe? Por que alguém se decidia a tirar a vida de alguém que amava? Por que o amor e o ódio podiam tornar-se forças de destruição e morte? Porque, exatamente por que é da condição humana o horror ao desconhecido da morte, o impulso criminoso não é contido? Por que forças internas insuspeitadas destroem a racionalidade e o medo? Que forças seriam essas? Como e por que se desenvolviam? Quando e o que seria o gatilho, a gota d'água, a nota em desafino? Por que a premeditação do crime seria apenas a vitória do mal ou consequência da doença ou da loucura? Seria simples assim? Por que a premeditação do crime não envolveria o desamparo, ou a compaixão, ou a liberdade de dispor sobre a vida sem sentido ou, com sentido, proclamar o livre-arbítrio em tempo histórico de tirania e morte? Era legítimo a um jornalismo que se propõe a busca da verdade ignorar essas forças arraigadas no fundo da alma assassina?

Durante os trinta anos de reportagem policial na *Folha de S.Paulo* e no *Jornal do Brasil*, a cena do crime sempre lhe foi dolorosa. Doía-lhe o caos existencial que em cada morte era capaz de intuir. Doía-lhe a lembrança dos inocentes, a torpeza das torturas, a inteligência ou a ignorância pulsante na mão assassina. Doía-lhe a indiferença calosa dos policiais, os *flashes* das máquinas fotográficas que devassavam a intimidade da tragédia, expondo-a sem licença nem pudor.

Ia ao encalço da notícia, era repórter policial, cumpria a pauta concisa e objetiva, sofria, se interrogava. Na maioria das vezes, escrevia a reportagem nua e crua e, em outras, quando não podia conter a emoção, escrevia tal e qual a sentia e, de algum modo, buscava resgatar a dignidade dos envolvidos. No crime não havia apenas o desejo de matar e de morrer. Ali, nas almas destroçadas, se plantava o desespero da solidão, do amor e do desamor, a crueldade de viver, o poder da vingança, as renúncias insuportáveis e as agonias de impasses devastadores.

Nenhuma de suas centenas de reportagens foi recusada pelos editores, houvesse espaço ou não. Se não houvesse, tratavam de arranjar. Ele não fazia um mero boletim de ocorrência jornalístico, também não fazia uma reportagem criminal meramente fática e indolor. Fazia um jornalismo sensível e pioneiro do jornalismo investigativo que se desenvolveu na mídia anos depois.

Muitas vezes voltou à cena do crime, se ainda não houvesse sido desmontada, e também à delegacia que cuidou do caso para saber das impressões, dos sentimentos, da versão dos policiais. Muitas vezes foi ao velório, à prisão e à família que lhe consentisse o retorno muitos dias depois. Quem ia? Não era mais o repórter. Era Edson Flosi, o homem, o amigo, o buscador de enigmas.

Porque se interessava profundamente pela pessoa humana, sonhou já à época com um jornalismo literário, hoje curiosamente chamado de novo. Ele já o fazia há cinquenta anos atrás. Foi um pioneiro, aquele que só agora, tanto tempo depois, se soube que vinha antes.

Na redação dos anos 70, todo mundo se intrigava com aquele homem sempre gentil, alegre e conversador. Às vezes até piadista. Sua pauta era quase sempre a morte, mas estranhamente ele jamais deixava transparecer as dores vividas na cena do crime. Estava sempre bem, muito bem com a vida. Não era espantoso?!

A redação inteira dos grandes jornais de São Paulo e do Rio de Janeiro sabia que ele era íntimo das delegacias. Tinha acesso franqueado a todas elas em plena ditadura e, inclusive, ao DOPS da estação da Luz. Era uma realidade que ele não escondia, e isso causava certo desconforto entre muitos colegas de ofício. Ninguém compreendia. Mesmo assim, quando se sabia que fulano ou sicrano havia sido preso ou desaparecido, era ao Flosi que se recorria. Ele fatalmente iria saber em que delegacia o beltrano estava. Todas elas abriam a guarda. Se estivesse em algum quartel seria mais difícil, mas nunca foi impossível. Nas casas da morte seria bem perto do impossível, mas... Os carrascos seriam mesmo indevassáveis!?

O que se soube também, muito tempo depois, era que Edson Flosi, astucioso e dono de muitos olhos, aproveitava o acesso franqueado às delegacias para, confiança conquistada e atuação perfeita, informar à militância as ações da repressão naqueles dias de terror. Muitos foram salvos da prisão e talvez do desaparecimento e da morte porque ele usava recursos da linguagem jornalística para, em código jamais suspeitado, anunciar quem estava para cair nas malhas da repressão.

Quem o conheceu além do sorriso e da palavra boa de todos os dias foi Cláudio Abramo, então secretário de redação da *Folha de S.Paulo*. Conhecia-o tão fundo que, antes de sair do jornal e do país em 1977, porque assim exigiram os militares incomodados com o seu carisma e a força de suas convicções, confiou-lhe um bem de gesso absolutamente inestimável: a máscara mortuária do jornalista Aristides Lobo, morto em 1968, amigo velho, de tantos anos, esperançoso da mesma democracia. Sabia que Flosi partilhava a dor daquela morte, o seu era um coração leal, mais que isso, um coração sensível, compreenderia o desejo do jornalista então na mira do terror de, um dia, ver o rosto do amigo revolucionário imortalizado na história da imprensa brasileira.

Edson Flosi guardou aquela máscara triste por vinte anos. Durante todo esse tempo vivenciou com ela as dores de quem na luta pelas liberdades havia sido preso vinte e cinco vezes. Transformou-a em efígie e deu-lhe lugar merecido no saguão do Sindicato dos

Jornalistas de São Paulo, em 1994. Entendia de morte, mas sobretudo entendia de vida. De uma só vez, agora não mais em tempos de tirania militar, honrava Aristides Lobo e Cláudio Abramo, ambos jornalistas e revolucionários por um Brasil livre e socialmente justo. Além deles, honrava os jornalistas que não se esquivaram da luta pelas liberdades. Os já mortos e os ainda vivos.

Nos jornais e na polícia muitos se surpreenderam. Nas redações e nas delegacias não sabiam que repórter policial acostumado às torpezas humanas se deixasse sensibilizar por tantos anos e assim tão fundo e tão em segredo pela vida, destino e memória de um colega de profissão morto quase três décadas atrás. O que, afinal, os ligava tão profundamente? Edson Flosi também era comunista!? Cláudio Abramo e Aristides Lobo eram trotskistas, todo mundo sabia. O Flosi também era?!

Disso a ditadura não tinha a menor dúvida, mas, quisesse ou não fazer valer o arbítrio, perdia sempre para a astúcia. Aquele homem, ainda jovem, cara de anjinho barroco, cabelos encaracolados quase loiros, olhos de transparência verde-água, era de malícia refinada, competente para o ardil. Não se deixaria flagrar.

Edson Flosi era puro instinto. Sabia aonde estar, quando estar, com quem estar, pra que estar, o que fazer e o que não fazer. Aprendera com o crime, tantas vezes eviscerado por ele na reportagem policial, o que esperar da natureza humana e da ordem social. A repressão não o atingiria.

A Rebelião

Quando a Organização dos Estados Americanos (OEA), em 1965, se mostrou apreensiva em realizar sua reunião anual no Rio de Janeiro, agendada que fora antes do golpe de Estado no Brasil, o general Castelo Branco, então primeiro ditador contraditoriamente legalista, se apressou a garantir-lhe por telegrama publicado na imprensa de todo o mundo que "os brasileiros estavam inteiramente ao lado do poder militar". Mentira! A brasilidade se queria livre!

Os estrangeiros não se iludiram e vieram cheios de precauções e de seguranças. Afinal tinham um encontro internacional com muitos macrointeresses em jogo. Sabiam que, mesmo com o aparato militar, alguma coisa aconteceria. E estavam certos! A brasilidade se queria livre!

À chegada das delegações estrangeiras, numerosos soldados de numerosas forças e patentes já estavam posicionados dentro e fora do hotel Glória. A segurança estava garantida. De farda verde-oliva, metralhadora, fuzil e atiradores de elite postados por toda parte.

Fora, bem defronte ao Glória, dez homens elegantemente vestidos, terno e gravata impecáveis, destoavam pela formalidade naquele calor de quarenta graus compartilhado por dezenas de jornalistas, fotógrafos e cinegrafistas em movimentado trabalho de imprensa em mangas de camisa. Quem eram aqueles sujeitos? Silenciosos, mal se moviam! Só esperavam! Dava até pra sentir a tensão no ar! Quem eram aqueles sujeitos?

Os jornalistas brasileiros sabiam muito bem quem eram, mas intuíram que eles não estavam ali para serem entrevistados a propósito do evento ou de qualquer outro assunto, então esperaram.

Nenhuma abordagem. Aqueles homens famosos de terno e gravata e em atitude solene estavam ali porque eram brasileiros. A segurança nacional como a entendiam não se dizimaria com o golpe de Estado. A nação lutaria! Eram brasileiros! A brasilidade se queria livre!

Eram dez e estavam furiosos! Não só eles, tinha muita gente no Brasil contra o golpe militar! Não estavam sozinhos! Eram poucos, ali eram dez, só oito quando foram presos, mas não estavam sozinhos. Os brasileiros não eram moscas-mortas abatidas e prontas para o lixo! Incomodariam o regime de todos os modos, custasse o que custasse! Lutariam! Não sangrariam inertes sem que o mundo não soubesse da tirania, sem que à pátria não fosse devolvida a soberania e a liberdade! Tinha muita gente disposta inclusive à luta armada e ao sacrifício pessoal para resgatar a democracia perdida nos conluios covardes para a americanização da pátria e a expropriação de seus recursos naturais e humanos. Eram brasileiros! A brasilidade se queria livre!

Dias antes, quando leram nos jornais o telegrama do general ditador para a OEA garantindo mentirosamente que o povo brasileiro apoiava o golpe, não contiveram a repulsa e a indignação, tinham que fazer alguma manifestação pública de repúdio à ditadura que alcançasse a imprensa do mundo todo. E fizeram. De terno e gravata sob o calorão de quarenta graus na cidade tropical mais conhecida do mundo.

Quando Castelo Branco, os estrangeiros e a comitiva presidencial chegaram protegidos pelos batedores, os dez homens abriram apenas cinco das dezenas de faixas que tinham feito contra a ditadura. Esperavam reunir mais de cem pessoas, mas infelizmente a realidade era que estavam só em dez, havia mais faixas do que braços. Então, o grito era o melhor recurso! Mesmo sendo só dez, engravatados e emplumados, gritaram, gritaram, gritaram a plenos pulmões: "Viva a liberdade! Viva a liberdade! Abaixo a ditadura! Abaixo a ditadura! Viva a liberdade! Viva a liberdade!".

Paulo Francis e Thiago de Mello, mais espertos ou com mais sorte, conseguiram fugir da repressão que caiu como um azougue sobre eles, sufocando o grito e desbaratando a elegância e a solenidade. Os outros oito foram presos pela polícia do Exército por dez dias. A imprensa do mundo todo fotografou, filmou, noticiou e não descansou.

Não foram torturados, eram famosos, mas ficaram sem o terno, a gravata, a elegância e o ar solene, peladinhos, peladinhos da silva, mesmo famosos. Desde o primeiro ao último dia. O duro mesmo foi ver o incendiário Glauber Rocha peladão cagando agachado no buraco feito no chão da cela muito à vontade e incansável no debate acalorado de questões brasileiras com os escritores Antonio Callado e Carlos Heitor Cony. Volta e meia, a cena no mínimo patética, mas fatal, se ampliava na defecação, o fedor e o fervor de um e de outro. Então, abortado o constrangimento geral, o deputado Márcio Moreira Alves, o embaixador Jaime Rodrigues e o cineasta Joaquim Pedro de Andrade entravam na discussão a cada dia mais apaixonada e furiosa para novamente reforçar o que o pintor Mário Carneiro e o teatrólogo Flávio Rangel também pensavam: que, naquele momento, a cultura brasileira tinha que necessariamente ser ainda mais radical, ainda mais revolucionária, ainda mais Brasil. "Viva a liberdade! Viva a liberdade! A brasilidade se quer livre! Viva a liberdade! Viva a liberdade!"

Saíram em dez dias, porque a imprensa esbravejou todos os dias e no mundo inteiro. Duro mesmo foi para quem viu e para quem teve de imaginar por força de ofício, ou por pura morbidez, cada um daqueles gigantes brasileiros inteiramente nus cagando ruidosos no buraco latrinoso feito no chão da cela insuportavelmente fedorenta.

Até que gostaram da proximidade, da oportunidade de se conhecerem melhor, da condição humana ali exposta de maneira crua e também literalmente nua, cada qual com seus medos, fragilidades, angústias e utopias. Eram famosos, mas nem todos haviam lido um ao outro, nem todos conheciam o teatro, o cinema, a literatura ou o fazer de um e de outro. Fizeram da cadeia um espaço de cultura, de encontro e de liberdade. Eram brasileiros. Queriam a brasilidade absolutamente livre. Até na prisão.

Casa de Mãe

O espaço vivido transcendia o espaço geométrico, as dimensões, os metros quadrados, as literalidades. Tinha valores de abrigo, condensava lutas, compartilhava o sonho e a solidão. De portas sempre abertas acalentava, alimentava e protegia os filhos, os amigos, os amigos dos filhos, os filhos dos amigos, os amigos dos amigos, os filhos dos filhos dos amigos.

Ali, em terras iluministas, uma casa brasileira se construiu como ninho e pátria por muitos e muitos anos para exilados brasileiros, africanos e latino-americanos perseguidos pelas ditaduras. Era a casa de Violeta Arraes, no Marais, em Paris.

Era uma casa de mãe. Dividia o medo, minimizava a dor, espantava os fantasmas. Também acalentava a esperança e multiplicava a alegria da origem, o orgulho da pátria. Era feliz e era triste. Ali se vivia a ideia da liberdade e o desejo da utopia. Ali se plantavam os movimentos de homens e mulheres que, banidos de seus países, acalentavam a libertação e a justiça para as nações.

Era uma casa prodigiosa a da Rosa de Paris, como ficou internacionalmente conhecida a socióloga cearense. Nunca foi apertada nem pequena demais para tanta gente por tantos anos. A verdade de cada um, o jeito de ser, a cultura diferente, mas agregadora, tornavam qualquer desconforto pessoal mais um motivo para se vivenciar a liberdade, a igualdade, a fraternidade e a justiça. Nessa casa com tanto espírito se viveu por muito tempo o espírito da república e da democracia. Todos eram parte de um todo maior e cada um era o todo em sua expressão mais profunda. Cada um, absolutamente cada um, era a pátria. Todos, absolutamente todos, eram a pátria.

A casa provedora de Violeta Arraes, banida do Brasil com o marido parisiense e os quatro filhos, era um minúsculo Brasil em terras francesas. Levou as forças da natureza do Cariri e do sertão nordestino para o canto dos exilados em Paris. Muita chita e rendas de bilro enfeitavam a casa toda. Próximos à claridade exterior, mandacarus e cactos xique-xique lembravam a resistência da natureza sob o sol inclemente do Crato, da caatinga e do semiárido. Nos quartos, colchas com bordados renascença em cambraia de linho típicos do Ceará aconchegavam o sono e amenizavam a saudade. Redes por toda parte e, por toda parte, muita cor e muito artesanato em barro, madeira, palha de carnaúba e bambu. Daqui e dali, bonecos de diferentes tamanhos representando cangaceiros, jagunços, volantes e outras figuras da cultura nordestina. Nas estantes e aparadores, muita escultura sacra típica da religiosidade do povo nordestino e centenas de livros de autores e estudiosos brasileiros, a maioria banida do país. Com eles, os cordéis, a cantoria das noites nordestinas.

Nas paredes daquele pedaço de Brasil, Aldemir Martins, Gontran Guanaes, Antonio Bandeira, Carybé, Poty e vários outros artistas brasileiros iluminavam a alma de cada um que, distante de casa, se alimentava também da música brasileira em meio às utopias. A bossa nova, a tropicália, os músicos proscritos pela ditadura, ali estavam e podiam ser ouvidos a qualquer tempo. Também se ouvia Villa-Lobos e Luiz Gonzaga. A alma era refinada e complexa. Também era simples e sertaneja.

Nesse cenário de acolhida e brasilidade, nessa casa de mãe, os irmãos Arraes, Miguel e Violeta, e outros fugitivos da ditadura criaram a Frente Brasileira de Informações para romper o silêncio da imprensa nacional. O que não se ousava publicar no Brasil, se publicava na Europa. Os desmandos, as atrocidades e as violações dos direitos humanos que não podiam ser divulgados na pátria, tinham lugar privilegiado na imprensa internacional. O mundo todo saberia. Os dez mil brasileiros exilados, banidos e clandestinos na Europa e na África e seus familiares e amigos ainda residentes no Brasil eram as fontes vivas da resistência no exterior. Ninguém silenciou.

A casa de Violeta Arraes, em Paris, esteve aberta e ativa por catorze anos. A esperança era a pátria de todos. Ela acolhia, convertia desespero em esperança e desenvolvia extenso trabalho de inclusão da inteligência brasileira foragida, clandestina ou em exílio. Com isso beneficiou o mundo. Centenas de trabalhadores, artistas, intelectuais e cientistas brasileiros tiveram então sua força de trabalho absorvida por instituições europeias e asiáticas de renome em todas as áreas do conhecimento técnico, científico, logístico e artístico. Em consequência, o gênio e o espírito brasileiros se estenderam pelos continentes na ciência, na arte, na tecnologia, na filosofia, na política e na luta pelos direitos humanos, a democracia e as liberdades. Ninguém esteve só. Caetano Veloso, Gilberto Gil, Oscar Niemayer e dezenas de outros conheceram o calor e a força daquela mãe brasileira e nordestina então mãe de todos em terra estrangeira.

E como a vida é boa e ninguém é só espírito, à mesa de Violeta Arraes não faltou o baião de dois nem a sopa de peixe com legumes, a tapioca, o feijão-verde, a carne de sol, o dendê, o cozido de jerimum, maxixe e quiabo, o queijo coalho, o mungunzá, o pudim de macaxeira, o doce de jaca.

Também não faltou a cachaça brasileira! "Ave Maria! De lascar o cão, oxente!"

O Advogado

Chegou ao Rio com a alma em pânico. O moço que conhecera havia um mês, e que lhe tinha encantado a cabeça e o coração, havia sido preso pelas forças da ditadura em Juiz de Fora, Minas Gerais, num congresso de estudantes e transferido para Niterói. Ali funcionava no estádio de futebol um campo de concentração destinado ao controle e tortura de intelectuais, artistas, estudantes e trabalhadores em luta pela democracia. Ninguém sabia quem estava lá, mas se sabia que eram mais de mil. A população sussurrava.

O estudante cursava engenharia na UFMG, tinha vinte e quatro anos, vinha de família pobre e era um dos vice-presidentes da UNE lutando por uma universidade crítica, livre e de acesso aberto à juventude das classes menos favorecidas. Ele e outros cinquenta e dois universitários se reuniram em Juiz de Fora vestindo hábitos de congregações religiosas. A imprensa toda soube. De repente, padres, freiras, noviças, freis e frades muito jovens chegaram à periferia da cidade. Chamaram atenção. Quem eram? Ninguém sabia. Nem a Cúria sabia de nenhum encontro religioso na região! A ingenuidade lhes custou caro: todos foram presos e a prisão significava sempre tortura e a possibilidade de desaparecimento e de morte.

Foi com esse medo que ela chegou ao Rio naquela manhã. Levou as duas filhas ainda pequenas, uma quase bebê, a outra muito curiosa e arteira, louquinha pra saber de tudo aos quatro anos de idade. Não tinha com quem deixá-las, mas também não tinha como deixar de fazer alguma coisa. Não iria a Niterói sem proteção e sabia muito bem onde encontrá-la. Tinha tudo muito bem pensado, não seria tão ingênua quanto os estudantes presos.

Não iria diretamente em busca do namorado. Seria muito perigoso, se arriscaria a ser presa também. Iria com identidade própria em busca de quem a todo mundo parecia ser a sagração do direito em vida, o Advogado, aquele que até o arbítrio aprendeu a respeitar.

O endereço era muito conhecido e o Advogado também. Todo mundo no Rio de Janeiro não só o conhecia, mas o respeitava como a ninguém mais no país. Até gente de fora o conhecia e o idolatrava! A Ordem dos Advogados do Brasil se orgulhava de divulgá-los, ao homem e ao endereço. Não havia nenhum conselho profissional no país que tivesse em seus quadros um homem daquela importância humana e política.

Era o endereço do dr. Heráclito Sobral Pinto. Ele a recebeu comovido, fez carinho nas crianças e encheu-as de balas e bombons. Mostrou-se intrigado, não sabia que era tão amado por aquela moça! Nem se conheciam! Ela, olhos marejados e muito pálida, lhe confiou que o amava havia muito tempo e muito mesmo. Desde que ele defendera Luiz Carlos Prestes, a quem ela também amava muito e por quem se preocupava desde criança. A luta de ambos pela justiça estava presente inclusive em sua decisão de abandonar o curso de direito para fazer o de educação: queria lutar nas salas de aula pelas mesmas liberdades, pela mesma justiça para todos os brasileiros. Esse ideal faltava nos bancos escolares. Ela queria ser uma entre muitas almas a preencher essa lacuna!

Pediu-lhe ajuda para o namorado. Nem sequer sabia se o amava, mas amava suas ideias, sua coragem de lutar pelas liberdades, sua busca por direitos e deveres iguais para todos. Amava seu direito à liberdade.

Ouviu-a em silêncio e em silêncio a abraçou com ternura. Era corajosa a moça! Pegou o telefone e ligou para uma delegacia de polícia em Niterói, falou com o delegado, perguntou-lhe onde estava o rapaz. Nem acreditou! Descobriu que estava com sorte, uma sorte única, dessas que só acontecem uma vez na vida! Não é que o moço estava justamente lá?! Tinha sido pego com um bando de arruaceiros brincando de céu e inferno nas Minas Gerais! O Advogado até riu um pouco, sabia como lidar com a polícia. "Ah, esse delegado! Vive querendo esconder o sol com a peneira!"

Duas horas depois, ela chegou à delegacia. Levava um bilhete do dr. Sobral Pinto: a moça era uma visitante especial, tinha deixado as filhinhas com ele, tinha que ser tratada com muita cortesia! E foi!

Depois de muitas perguntas para tentar saber o que o dr. Sobral Pinto iria fazer em benefício de mais aquele preso, o delegado chamou um policial e mandou buscá-lo "de banho tomado, bem-vestido e barba feita, faz favor!".

Ela esperou bem mais de meia hora, não sem renovar o batom e pentear de novo os cabelos longos e anelados. Não queria passar-lhe nenhuma sombra, nenhuma angústia, precisava aparentar saúde, disposição e bem-estar. Ele apareceu mais magro e muito abatido. Vestia camiseta branca limpa e uma calça que se via que não era sua, curta demais para seus 1,80 m. Se abraçaram. Censurou-a. "Você não sabe que é perigoso?" Abraçou-a novamente. Estava exausto, mas não tinha sofrido nenhuma violência física. Em todos aqueles dias desde a prisão, só lhe deram comida ruim, ele que adorava peixe, deram-lhe peixe podre. Estava faminto e com sede. Além disso, não podia dormir, ficava na cela sempre nu e muitas vezes de pés e mãos amarrados junto com uma cobra e muitos ratos. Achava que a cobra tinha comido alguns ratos quando ele se deixou vencer pelo sono. Até o momento ela não tinha chegado perto e ele não estava lá muito assustado. Era do interior. Se não fosse venenosa, até que podia se dar bem com a cobra. Na infância até havia brincado com uma que era domesticada, se chamava Zuleika e o pai tinha criado desde pequena. Era seu bichinho de estimação.

Não houve tempo para mais conversa, mas antes de ir embora ela lhe disse que o dr. Sobral Pinto ia tirá-lo dali. Agora que ela e o Advogado sabiam onde ele estava, nada de mal lhe aconteceria.

Voltou ao Rio mais confiante. Tinha feito o que tinha de fazer. O moço seria salvo, ninguém o torturaria, ninguém desapareceria com ele.

Chegou ao escritório radiante, mas não encontrou o Advogado e as crianças. Tinham saído pra tomar sorvete. Encontrou-o no calçadão carregando todo risonho a bebezinha com a cara e as mãozinhas lambuzadas de chocolate. Segurava com mão forte a menininha saracoteante deslumbrada com a cidade. Se piscasse, ela escapava da vigilância. Era uma danada, mas ele gostava de criança levada. Era sinal de saúde. Também gostava de ser avô até dos netos e netas dos outros. Gostava da infância. Gostava de gente.

No mesmo dia, tarde da noite, o delegado mandou soltar o rapaz. E não só isso, deu-lhe dinheiro para um lanche e também para o ônibus interestadual. No dia seguinte, os dois se encontraram em São Paulo. Mal se falaram, ela o levou para casa e lá ele dormiu dezoito horas seguidas. Estava protegido. Podia confiar.

Meses depois, foi preso de novo na queda do congresso da UNE em Ibiúna, ele e sua outra namorada, a Queen, e centenas de estudantes universitários e secundaristas, quase mil. Novamente tinham sido ingênuos demais chegando como multidão numa cidadezinha que mais parecia um vilarejo. Novamente chamaram atenção.

Nunca mais se viram nem se falaram.

Muitos anos, mortos e desaparecidos depois, inclusive Sobral Pinto, Luiz Carlos Prestes e as utopias, ela valeu-se da tecnologia americana reinante no Brasil livre e descobriu no Facebook: ele não estava desaparecido como imaginara. Estava vivo! Formou-se engenheiro e voltou para a cidade do interior de Minas Gerais onde nasceu, provavelmente casou com a namorada Queen, foi prefeito em duas gestões seguidas e também deputado federal pelo Partido Trabalhista Brasileiro.

Ele jamais a procurou. Então ela achou que fosse um dos muitos desaparecidos e passou a vida inteira vasculhando as lembranças que muitas pessoas tinham daqueles tempos. Talvez alguém soubesse dele! Quando o descobriu na internet quase cinquenta anos depois, soube que a razão de tanta ausência era banal: ela não teve lugar em sua memória afetiva.

Além disso, ele não lhe devia nada. O que fez por ele faria por qualquer um em seu lugar. Ela sabia seu nome, sua origem, sua prisão. Não fez mais que a obrigação de quem queria uma nação em liberdade e ponto!

Sem mágoa alguma.

A Serventia

Vivia voltando. O exílio o tornava cada dia mais ardiloso. Não se renderia à ditadura. Voltaria ao Brasil sempre que alguma artimanha tivesse força suficiente para desviar a atenção dos agentes do regime e lhe fosse possível chegar. Era difícil, perigoso, até inconsequente, mas valia a pena. Tinha muito a fazer. A hidra não o venceria.

Estar em solo brasileiro dava-lhe ânimo para continuar vivendo em outro país. Por isso voltaria sempre. Mesmo em perigo. Tinha responsabilidades. Era médico, dedicava-se às doenças negligenciadas do Brasil pobre e profundo, ensinava. Também era comunista. Não servia para a pátria.

Foi preso por nove meses no navio Raul Soares que, de tão velho e sucateado, fora rebocado da Baía de Guanabara para o estuário de Santos, em São Paulo, para servir à hidra armada da força e do arbítrio. Era inútil para a navegação, mas serviu de prisão para 192 presos políticos, a maioria sindicalista, militares, cientistas e intelectuais separados em três calabouços sinistros apelidados com nomes de casas noturnas que, à época, prometiam prazer, luxúria e devassidão na capital paulista. A ditadura era cínica.

O salão metálico ao lado da caldeira, sem nenhuma ventilação e temperatura acima de cinquenta graus, era o *El Morocco*. Nele, como nos outros, a morte era certa. Nunca se soube como os presos se safaram de serem cozidos vivos. Dias depois, desidratados muito além do limite suportável, eram levados para o *Night and Day*, uma sala diminuta na qual ficavam imersos em água gelada até os joelhos. O choque térmico era aterrador e a morte inevitável, mas para muitos não aconteceu. Nunca se soube como sobreviveram do tórrido para o congelante. Passavam depois para o *Casablanca*, último destino do rodízio e tão desesperador quanto os outros dois calabouços. Não era nem quente nem gelado, mas ali se despejavam as fezes do navio. Nunca se soube como não enlouqueceram e não se mataram uns aos outros para fugir do suplício. As três "boates", que esperavam receber mais outros 400 homens, tinham por absoluta crueldade a função de quebrar a resistência dos presos. De muitos, não quebraram. Apesar da crueldade e do famigerado rodízio. Nem mesmo quando o comandante repetia, semana após semana, que se lhe desse na veneta rebocaria o navio em noite escura e abandonaria todos em alto-mar. Por ele já teria fuzilado todo mundo. Não havia por que deixá-los vivos. Não serviam para o Brasil.

Quando finalmente Luiz Hildebrando Pereira da Silva foi posto em liberdade, soube que o inferno continuava vivo também fora da prisão. Sumariamente demitido da Universidade de São Paulo (USP), onde era conceituado livre-docente na área de parasitologia, sem direito a recurso e sem possibilidade de admissão por qualquer instituição de ensino e pesquisa que recebesse incentivos do governo, não tinha como sobreviver. A ditadura era sádica. Ele não servia para o Brasil.

Não teve saída, a hidra forçou-o ao exílio. Em Paris, a família sobreviveria, estaria protegida e ele podia ser quem era: comunista, médico e pesquisador de doenças endêmicas em países assolados pela miséria, a ignorância e a indiferença política. Foi admitido de imediato pelo Instituto Pasteur, à época o mais renomado centro mundial de pesquisa da saúde humana, mas continuou vindo ao Brasil. Vivia voltando. Era um clandestino teimoso. A nação e a ciência brasileira precisavam e não abriam mão dele. Ele também não abria mão do Brasil. Veio, organizou cursos de férias no Departamento de Bioquímica da USP e até se propôs a lecionar no Departamento de Genética. Tudo em segredo. Quando foi descoberto, ameaçaram-no com uma nova prisão. Não tinha serventia para a pátria.

De volta à França, assumiu a direção do Centro de Biologia Molecular do Instituto Pasteur, referência mundial em pesquisa básica em saúde, ensino e ações de saúde pública. Nele, trabalhavam

150 pesquisadores e três Prêmio Nobel sob sua autoridade e direção. Só ele era brasileiro. Servia para outras pátrias, mas não podia acompanhar seus pesquisadores em eventos científicos na Europa e nos Estados Unidos. O governo militar recusava-se a conceder-lhe o passaporte. O motivo? Inacreditável! A presidência da República não lhe tinha dado autorização para aceitar emprego no exterior! Estava prescrito na Constituição forjada pela ditadura em 1967. O arbítrio não o queria sobrevivente em terra alguma, a hidra se reproduzia também no exterior. Ele não servia para o Brasil, também não serviria para o mundo!

E mais! A prisão, a tortura, o arbítrio e a perseguição não foram suficientes para o governo militar. O regime era uma hidra insaciável, tinha fome de mais sacrifícios. Cassara-lhe direitos fundamentais na terra-mãe e queria cassar-lhe muito mais que o direito de ir e vir em terra alheia! Queria arrancar-lhe também o direito à origem e às raízes e então, inacreditável!, moveu-lhe um processo de cassação da nacionalidade!

No Brasil um advogado amigo conseguiu impetrar um mandado de segurança. A justiça não teve como deixar de lhe garantir a renovação do passaporte que lhe foi entregue em Paris com uma observação legal, mas inaceitável: "o portador sofre processo de cassação de nacionalidade e será invalidado com a decretação da medida". Inacreditável!

Nos trinta anos em que trabalhou no Instituto Pasteur, integrou os programas da Organização Mundial de Saúde no combate à malária na África endêmica, constituiu laboratórios especializados em Dakar, Madagascar e Cayenne e vários centros internacionais de fisiopatologia e imunidade em malária. Não servia para o Brasil, mas serviu para o mundo. A hidra jamais o venceria.

Quando se aposentou na França aos 72 anos e com o Brasil em vias de democracia plena e real, voltou à pátria para dar de si mais uma vez e para o resto da vida. Sentia-se ainda "válido" para a pesquisa aplicada à criação de medicamentos e vacinas contra a esquistossomose, a malária e a doença de Chagas na Amazônia. Precisava dar ao Brasil o que lhe foi impossível oferecer na juventude.

Precisava ser quem era: médico e parasitologista preocupado com a saúde humana em qualquer lugar do mundo.

A solução foi dividir-se entre o Brasil e a França. Havia feito raízes em terras iluministas. Tinha amigos, filhos e netos no velho continente, mas nada o impediu de assumir a direção do Centro de Pesquisa de Medicina Tropical em Porto Velho. Rondônia era foco de malária ainda invencível. Era preciso erradicá-la. A velhice, a idade avançada e o cansaço não o impediriam.

Servia para a pátria. Como sempre.

A Aula Magna

O comentário era generalizado: a aula inaugural foi magnífica. Tinha fundamentos claros, objetivos precisos, metas realistas e necessárias para o resultado que se queria alcançar. Também havia cinismo e humor obsceno entremeado às práticas concretas demonstrativas da teoria e das informações cuidadosamente arranjadas para que não houvesse nenhum erro, nenhuma falha à *gestalt* tão bem construída do ponto de vista operacional. O professor, eufemismo inglório para torturador, carrasco e psicopata, era direto, objetivo, frio, seco. Não desperdiçava palavras nem utilizava os equipamentos didáticos e paradidáticos sem objetivo definido e sem *feedback* imediato. Era um especialista, um *expert* no que fazia, ensinava e reproduzia. Tinha método.

Os alunos carniceiros estavam extasiados. O curso era tudo o que queriam. Constituíam a primeira turma da escola americana de tortura no Brasil, agora poderiam aperfeiçoar-se nas técnicas de suplício que já vinham fazendo desde antes de 1964 por puro instinto. Era de causar inveja conhecimento tão vasto! E a prática então?! Precisa! Técnica! Verdadeiramente extraordinária! O homem era um assombro, conhecia anatomia, fisiologia, bioquímica orgânica, psicologia, neurociências e até filosofia! Não faria inveja apenas a eles, torturadores psicopatas de tanta experiência nos DOI-Codis e no Esquadrão da Morte já havia bastante tempo! Faria inveja colossal a qualquer pedagogo célebre cheio de teorias água com açúcar e resultado caótico. Não havia a menor dúvida de que faria inveja até obsessiva a qualquer filósofo de araque especialista em conversa-fiada. Tinha método.

Passadas três horas de aula inaugural, que voaram num relâmpago, mal sentiram as horas. O recurso audiovisual radicalmente mais necessário à eficácia pedagógica desmaiou de dor, humilhação e desespero no pau de arara. O técnico especialista em mais de mil técnicas de tortura, desde as irrisórias, só palavrinhas "educativas", cínicas, obscenas e desesperadoras até as de violação da carne e do espírito do torturado, concedeu muito contrariado um intervalo de vinte minutos e anunciou em alto e bom som que o tal recurso audiovisual deveria voltar limpo do sangue e da merda para o *feedback* conclusivo.

O recurso audiovisual em carne, osso, alma e vísceras, objeto da aula prática, era uma moça de vinte anos, estudante de medicina em Salvador. Tinha sido presa quando articulava uma réplica da Passeata dos Cem Mil, ocorrida no Rio de Janeiro, para as demais capitais brasileiras. Os delatores foram seus familiares, todos presos e torturados algum tempo depois, mesmo sem nenhuma militância contra a ditadura. Os carrascos eram notáveis também em ambiguidade: quem entrega pessoas para a tortura também merece tortura. Simples assim! Delação alguma haveria de ser premiada! Então, choque neles! De quebra, a subversiva traidora se sentiria ainda mais pressionada, ainda mais ameaçada, ainda mais culpada, ainda mais predisposta a falar, falar, falar!

Ansiosos por conversar entre si a respeito do que fora visto e já passada a hora do almoço, os carniceiros tentaram deixar a conclusão para o meio da tarde. O docente foi irredutível, aquela era uma aula magna! Tinha que ter começo, meio e fim, não tinha por que interromper e, muito menos, dar chance à moça de se recuperar, era preciso ver sua reação até o fim dos trabalhos! Aquela era uma aula de psicologia também! Ele interrompera apenas para que lhe dessem um jato d'água, a lavassem das porcarias e a mantivessem molhada para que os choques fossem ainda piores e de melhor resultado. Ela entregaria até a mãe, o filho recém-nascido e inclusive Jesus, a alegria dos homens! Iam ver! Era líquido e certo!

Depois dessa aula inaugural viriam muitas outras, nem se sabia quantas, tudo dependia da motivação, da aprendizagem, da experiência e do desejo que cada assassino trazia. A carga horária era bastante extensa, não havia tempo a perder. Eram mais de mil as técnicas de tortura que o carrasco carniceiro e seu corpo de assistentes tinham a ensinar não só no Brasil, mas também nos países fronteiriços também subjugados por tirania e interesses imperialistas. Subversivo tinha em todo lugar, era uma raça difícil de dizimar, o que os governos ainda não tinham atentado é que filho de subversivo não deve nascer, então os subversivos devem ser dizimados. De preferência sumariamente.

O final da aula foi incrível, ouviu-se logo mais entre uma cervejinha e outra no boteco da esquina. O especialista americano era homem de poucas palavras e muito método. Os brasileiros tinham muito a aprender.

A moça acordada, nua e toda machucada não voltou para o pau de arara, embora o médico psicopata de plantão tenha garantido que ela podia aguentar mais ainda. Penduraram-na de cabeça para baixo e os choques se sucederam cada vez mais repetitivos nos seios, no ânus, nos ouvidos, no nariz, na vagina sempre seguidos da palavra poderosa do carrasco: "aqui no *cu* a melhor técnica é injetar bastante água com uma mangueira, vai ser ainda mais eficaz, aqui nos mamilos também vai dar mais resultado se forem mordidos antes, se a pele tiver alguma laceração, na vagina também. É ainda mais eficaz logo depois de uma foda bem caprichada. Se tiver foda anal, melhor ainda! A cadela vai querer ir direto pro inferno!".

A humilhação e a dor eram absolutas e, infelizmente para ela, que queria resistir e manter a dignidade, tudo aconteceu debaixo de muitas contorções, incontinência, gritos, súplicas, risadas e zombarias dos militares e civis engajados na prática da tortura.

Depois, o *grand finale*: deitaram-na no chão de pernas e braços bem abertos, esfolaram seu corpo com escova de arame e soltaram sobre seu corpo um filhote de jacaré. Tinha pouco menos de um metro, era repulsivo, viscoso, estava raivoso, com medo e faminto. Coitado! Também ele não queria estar com aqueles monstros, devia estar é querendo o rio e provavelmente também a mãe! A moça não viu nem soube o que aconteceu depois. Desmaiou pela segunda vez.

Quando acordou estava de novo na cela de apenas seis metros quadrados com mais cinco presas muito machucadas, ferimentos purulentos sem nenhum trato. Já as conhecia, três delas tinham sido estupradas e todas foram torturadas, mesmo a médica já idosa e inclusive a grávida de cinco meses. Eram os recursos audiovisuais de carne e osso, alma e vísceras da próxima semana.

Da cela em que todas se amontoavam tentando diminuir os sofrimentos umas das outras ouviram nitidamente os entusiasmados aplausos ao final da aula magna. Souberam, horrorizadas, que um dos coronéis presentes ao curso, famoso pela crueldade, o deboche e o cinismo, havia sido muito cumprimentado pelo docente *expert* nas artes da tortura. Tinha sido ele quem, a pedido dos americanos, capturara diversos jacarés no rio Araguaia, lançando moda nos quartéis e nos centros de tortura dos esquadrões da morte em todo o país.

No dia seguinte, às seis da manhã, as presas ouviram, surpresas, o que parecia um batalhão de soldados em marcha e em seguida jurando fidelidade à bandeira. Logo depois ouviram o hino nacional cantado do começo ao fim. Não estavam num centro de tortura clandestino! Souberam depois que estavam no quartel da Polícia do Exército do Rio de Janeiro, na Barra da Tijuca.

A moça usada como recurso audiovisual visceral durante a instalação da escola americana de tortura no Brasil foi usada muitas outras vezes como objeto didático nas aulas práticas demonstrativas das técnicas mais eficazes para se obter informações dos torturados. Passou por vários centros de tortura e em cada um foi submetida a novas e desesperadoras torturas. Adoeceu após cada uma delas, mas permaneceu presa durante um ano e quatro meses. Saiu viva não se sabe por que milagre. Ao contrário do que garantiu o supercarrasco hipertécnico da aula inaugural e também magistral, a eficácia da tortura fracassou. Ela não entregou nem a mãe, nem o filho recém-nascido. Também não entregou Jesus, a alegria dos homens. Líquido e certo.

Os Cientistas

Conheceram-se quase no meio da Floresta Amazônica. Eram parasitologistas e tinham se formado em medicina em Belém do Pará. Estavam se embrenhando pelo agreste do sertão em trabalho de pesquisa e busca de micro-organismos transmissores de doenças endêmicas. Com seu trabalho, conhecimento e disponibilidade para enfrentar os perigos de regiões inóspitas, esperavam contribuir para a melhoria da saúde dos povos da floresta.

Ele chegou primeiro num avião monomotor do Correio Aéreo Nacional tão pequeno, que nele só cabiam duas pessoas: o piloto e o passageiro, ambos de muita coragem, porque naquelas condições, só mesmo gente muito corajosa ou então louca de pedra! Ela chegou depois do mesmo jeito e morrendo de medo durante o voo. Quem confiaria naquele avião?! Loucos de pedra, óbvio ululante!

Era mesmo um avião bem diferente dos aviões de hoje, mas bem diferente mesmo! Na verdade era inacreditável! Tinha asas de lona! Às vezes essas asas se rasgavam e eram emendadas daqui e dali com esparadrapo! Era avião sem teto, como esses que a gente vê nos filmes do Indiana Jones. As duas pessoas, piloto e passageiro, ficavam expostas aos ventos da cintura pra cima! E que ventos! Era mesmo uma insanidade! Uma loucura!

Os médicos, ambos muito jovens, morriam de medo todas as vezes que tinham de voar nesses aviões e não eram poucas não, porque de quinze em quinze dias tinham de voltar à capital para o trabalho em laboratório. Não eram os únicos a sofrerem tal sorte. Também os pilotos morriam de medo de voltar quinzenalmente para a floresta e dela para vilarejos no fim do mundo! Tinham medo das doenças que, de algum modo, aqueles dois iam pesquisar não se sabia bem como. Eram dois malucos, com certeza!

Não se importavam com as péssimas condições de trabalho. Com o tempo deixaram de se importar até mesmo com os aviões literalmente caindo aos pedaços, queriam dar um sentido maior às suas vidas, aplicar seus conhecimentos e descobrir outros que pudessem ajudar o povo do sertão e talvez até de outras regiões do Brasil. As dificuldades não paravam aí. Não encontravam apenas populações primitivas, assoladas por crendices e superstições, impaludismo e fome crônica. Também enfrentavam levas e levas de mosquitos infernais, animais peçonhentos a cada passo na floresta, infestações e mais infestações de percevejos, índios constantemente pintados para a guerra e em pé de guerra, um calor insuportável e, se já não fosse o bastante, os equipamentos eram precários, os salários eram irrisórios, a comida bastante escassa e as noites eram de completa vigília tantos os riscos e perigos. Houve até ocasião em que a fome era tanta, que tiveram que comer as cobaias que levaram da cidade para a inoculação em campo. E ainda bem que eram médicos, podiam cuidar um do outro!

Nada os desanimava. Queriam descobrir as causas de doenças devastadoras que atingiam os povos do sertão. Acreditavam que podiam e foi isso o que fizeram. À época conseguiram erradicar o calazar e a malária no Norte e no Nordeste brasileiro e, para isso, já ao raiar do dia, estavam em trabalho de pesquisa ou examinando as pessoas de casa em casa nos cafundós do judas. Do avião iam a pé, a cavalo, em lombo de boi ou jegue, em canoas tão velhas, que furavam a cada viagem, ou em barcos também caindo aos pedaços, em jipes e caminhonetes antigos, já até descartados pelos serviços públicos e sem manutenção por estradas de terra esburacadas e lamacentas. Andaram centenas de quilômetros a pé em leitos de rios quase secos ou abrindo a facão matas fechadas na busca de larvas dos mosquitos. Um ajudava o outro, estimulava, cuidava.

Pior mesmo foi enfrentar o medo que causavam às pessoas. Uma vez, depois de muito andar, chegaram a uma cabana de caboclo aparentemente vazia, mas com sinais evidentes de ocupação.

Como ninguém apareceu, já estavam indo embora quando a tosse de alguém denunciou os moradores: a família toda havia tentado se esconder encarapitada no alto de uma árvore.

No Ceará, o barulho foi pra danar! Todo mundo com medo daqueles dois! Pareciam inofensivos, tão bonitinhos de jaleco branco e estetoscópio no pescoço!... Mas não eram, não! Tinham parte com Satanás! Padim Ciço já tinha avisado que o diabo ia aparecer três vezes no sertão: na primeira viria sangrando os pecadores, na segunda traria desgraceiras pra todo mundo e na última ia matar um por um. O cristão que se cuidasse, andasse sempre com o terço e a cruz porque o coisa ruim tava sempre à espreita prontinho pra levar o sofredor pro fogo do inferno! Então, quando os médicos apareceram pra tirar sangue para os exames, a credulidade embargou a pesquisa. Ambos eram porque eram anjos do demônio que lá estavam pra sangrar os pecadores! Padim Ciço já tinha avisado!

O guarda que os acompanhava para protegê-los dos índios desacorçoou e deitou saliva no povo! "Os *minino* é estudado, oxente! Eles é novinho, mas sabem *curá* as *bichera*! Estudo pra médico não é coisa *poca*, oxente! É coisa de Deus, nem o moço, nem a mocinha é diabo mandado pelo demônio, não! Eles é médico *dos* bom. Os dois *tão* aqui a mando do governo, oxente! Vieram da cidade pra *livrá nóis das* malária, *das* lombriga, *das* bexiga! Todo mundo aqui já teve defunto nessa perdição de vida! *Nóis* sabe o que é doença ruim! *Tamo* cansado de *enterrá* anjinho...Os *minino tão* aqui pra *ajudá nóis*! Eles é cristão, oxente!"

A falação não foi o bastante! Os tementes queriam provas! Se vinham com Deus, tinham prova! Virgem Santíssima! Não teve conversa nem jeito, eles precisaram provar que não eram o que não eram: fazer o sinal da cruz diante do crucifixo sem pegar fogo e descalçar as botas para que todos vissem que nenhum dos dois tinha pés de cabra. Nenhum dos dois tinha rabo nem explodiu com cheiro de enxofre, então todo mundo suspirou aliviado. "Até que os dois eram anjos sim, tão bonitinhos!... mas não de Satanás, oxente! Ave Maria, cheia de graça... Brigadim, Padim Ciço!... o Senhor é convosco... Eles que sangrassem o povo! Bendita sois vós entre as mulheres... Deus estava com todos! Bendito é o fruto do Vosso ventre, Jesus! Era pro bem de cada um, tementes e não tementes a Deus! Santa Maria Mãe de Deus... Ninguém mais ia ficar doente... rogai por nós, pecadores... nem morrer antes da hora... agora e na hora da nossa morte, amém." Também os dois suspiraram aliviados, oxente! Um ajudava o outro, estimulava, cuidava.

Apaixonaram-se em meio às dificuldades e em meio às dificuldades sempre crescentes em país sem tradição de pesquisa nem de cuidado às populações mais pobres. Faltou verba, faltou vontade política, faltou conhecimento, faltou sabedoria, faltou discernimento, faltou desejo do coletivo, faltou espírito de comunidade, faltou humanidade. Nada os desanimou. Seguiram a vida juntos por mais de cinquenta anos e salvaram milhares de vidas. Fizeram contribuições extraordinárias à saúde humana dentro e fora do Brasil, ensinaram e formaram novas gerações de médicos parasitologistas em universidades brasileiras e estrangeiras, foram peritos em doenças parasitárias da Organização Mundial de Saúde, publicaram centenas de trabalhos divulgados em todo o mundo e receberam dezenas de prêmios quase todos no exterior.

Depois de quase quarenta anos trabalhando pela saúde humana na pesquisa e no ensino, no inóspito dos sertões e na crueza das metrópoles, partiram inconformados para o exílio. Como muitos outros cidadãos, eram pessoas indesejáveis à ditadura militar no Brasil. Pensavam demais, queriam igualdade de oportunidades e condições para todos e lutavam por um país livre, pensante e sadio. Eram parasitólogos e reagiam aos parasitas de qualquer espécie, tiranos de qualquer espécie, civis ou militares, muito mais perniciosos à nação que os micro-organismos. Estes podiam ser erradicados, muitos até para sempre, não ameaçavam a democracia.

Portugal recebeu Leônidas e Maria José Deane de braços abertos. Por mais de cinquenta anos um ajudou o outro, estimulou, cuidou. Juntos, tinham dado o melhor sentido à vida de um e de outro. Jamais parasitaram. Nem cá nem lá. *Ora, pois!*

O Cacique

Centenas de guerreiros pintados de vermelho e negro e em pé de guerra cantavam e dançavam empunhando arcos, flechas e claves de combate na aldeia de Namucurá, no Mato Grosso. No comando, o cacique Mário Juruna não queria, mas não teve alternativa senão enforcar os homens que invadiram armados as terras de sua gente. Tinha que mostrar ao governo militar e aos fazendeiros invasores que a guerra estava declarada. Enforcariam um a um. Eram cinquenta homens, quase todos pretos, a maioria capangas da agroindústria ou pecuária, pagos para matar.

Os Xavante não entregariam sem luta a terra sagrada de sua ancestralidade e cultura. Podiam sentir nela o espírito, a respiração do seu povo, a história de sua gente desde antes de os brancos chegarem havia tanto tempo determinados a arrancá-los da natureza até pelo extermínio.

Juruna não chegou a enforcar todos os invasores. Não que não quisesse, mas se obrigava à paz. Toda coisa viva tem direito à vida. Enforcaria se a ditadura não cedesse. Exigiu do governo militar a demarcação de 380 mil hectares do território Xavante no Alto Xingu. Conseguiu! Não porque o governo reconhecesse a vida e a alma da floresta. Pouco lhe importavam os nativos, a fauna, as matas, os rios, a flora. Da natureza o que lhe importava era a apropriação e a possibilidade da exploração e do comércio.

O que a ditadura não queria era repercussão internacional mesmo que mínima. Sabiam com quem estavam tratando. Conheciam Juruna, sabiam do que ele era capaz, da força que tinha na sua e em outras tribos. Era prudente fazer a demarcação o quanto antes. Resfriariam os ânimos. Além disso, o cacique era ousado, destemido e até insolente. Era um líder, estava disposto a morrer. Nada o assustava. Não lutava apenas pelo chão. Impressionaria a opinião pública. A ditadura não podia correr o risco. Era 1973, e o Brasil já não conseguia esconder o arbítrio também em territórios indígenas.

Juruna surpreendeu o país e o mundo na defesa, preservação e fomento da cultura e sobrevivência indígenas no Brasil moderno falando em xavante e em português de quase nenhuma assimilação gramatical, mas com honestidade de criança e a força da luta. Queria uma consciência pan-indígena, que todas as etnias nativas no Brasil sobrevivessem aos ataques da civilização, que todas preservassem seu idioma, sua cultura, sua religiosidade, as terras e as florestas em que nasceram e as histórias dos seus ancestrais. Os índios eram os brasileiros, pertenciam ao lugar tanto quanto o lugar lhes pertencia. Os outros eram os invasores.

Os nativos não podiam ser expulsos da mãe terra e simplesmente finar. Não era justo, não era direito. Eles eram natureza e nada podia desentranhá-los do natural e do sagrado. Lutariam. Tinham cultura, espírito, tradição e ligação visceral com as matas, as águas e os animais, a lua, o sol, as estrelas. Tinham ligação íntima e primordial com os cheiros da mata, o sibilar das serpentes, os ruídos da chuva, o voo das aves, os saltos dos peixes, o zunido dos ventos. Sentiam sua alma todos os dias a cada toca, a cada ninho, na cautela das caças, no canto dos passarinhos, na traquinagem dos quatis, dos macacos e dos saguis, nos relâmpagos anunciando o temporal. A natureza era a grande mãe, tinham nascido dela e por ela viveriam. Até mesmo mortos. Os ancestrais cuidariam.

Surpreendeu quando, contra todo o empenho do regime para impedi-lo, presidiu em 1980 a quarta edição do Tribunal Bertrand Russell em Roterdã, na Holanda, um fórum internacional nascido em 1966 para julgar os crimes dos Estados Unidos no Vietnã. Julgaria agora o governo militar brasileiro na desterritorialização, expropriação e genocídio de grande parte das mais de 200 etnias indígenas ainda existentes no país.

Denunciou sem meias palavras a violência branca, inclusive estatal, nas aldeias nativas em função de interesses políticos e empresariais nacionais e estrangeiros. Foi literal. As palavras saíam-lhe velozes no arrojo do combate. Ele também era uma força da natureza. Denunciou os massacres, as expulsões, as prisões, as torturas, os bombardeios sobre as aldeias, os estupros, a transmissão intencional de doenças e a sedução da prelazia salesiana com sua política educacional "civilizatória" no Xingu.

Denunciou as martirizantes estratégias de "pacificação", o confinamento de sua gente em reservas controladas pelos militares, a existência de reformatórios que objetivavam a transformação dos índios em cidadãos "civilizados" e mão de obra convenientes e de baixo custo. Denunciou a construção de prisões especialmente destinadas às lideranças indígenas rebeldes confinadas longe do continente. Não o intimidava a autoridade do Estado nem da Igreja. Nada intimidava Mário Juruna. Nem a possibilidade do martírio.

O veredicto não podia ser outro: o Brasil foi condenado em sentença unânime por crime contra a humanidade ao vilipendiar, massacrar, explorar, escravizar e destruir etnias e comunidades indígenas. A ordem religiosa salesiana também. O mundo inteiro soube. Dali em diante a Anistia Internacional dos Direitos Humanos, a Organização dos Estados Americanos, a Unesco, o Unicef e outras organizações internacionais políticas e humanitárias de defesa e respeito à vida ficariam atentas.

A ditadura esperneou. Outra condenação de crime de lesa--humanidade?! O Brasil já havia sido condenado na segunda edição do Tribunal Bertrand Russell por crimes de tortura contra presos políticos. A humanidade outra vez fora atingida! A ditadura também!

Se o general Garrastazu Médici à época já tinha motivos para proibir qualquer notícia sobre os índios na imprensa escrita, falada e televisiva, agora os tinha de sobra. A linha-dura não acovardou nem atingiu o cacique Juruna. Agora, o mundo sabia.

Mário Juruna surpreendeu-se em Roterdã ao descobrir que no mundo havia milhões de índios perseguidos. Será que as Funais estrangeiras também eram comandadas por gente não parida, gente que não teve mãe, gente que não conhecia a doçura de uma mãe e por isso era cruel, corrupta, exploradora e criminosa? Era isso? Era gente não parida que também no estrangeiro estava arrancando os índios de sua terra-mãe?

Essa gente não parida, corrupta, agressiva e cruel, ele enfrentou usando a palavra e um gravador antes e depois de ter ingressado no parlamento comandado pelos governos militares. Os civilizados tinham palavra fraca, mentirosa, manipuladora e caluniosa, então ele só falava com as autoridades e funcionários da Funai gravando todas as conversas. Branco era gente de promessa fraca, de cabeça fraca, de palavra fraca, esquecia tudo e ainda achava que podia decidir o destino das etnias indígenas. Não ia tolerar. O gravador documentaria tudo! Nenhuma voz escaparia, nenhuma dissimulação, nenhuma mentira!

Filiou-se ao Partido Democrático Trabalhista assim que Leonel Brizola voltou do exílio em 1979. Foi eleito deputado federal especialmente pelos trabalhadores do Rio de Janeiro e, na Constituinte, fez duras críticas ao governo militar, não poupou de sua ira nenhuma autoridade e mobilizou organizações indígenas de diferentes etnias para a discussão e conquista na Constituição de 1988 da regulamentação jurídica das relações do Estado com as sociedades nativas. Queria que se reconhecessem direitos individuais e coletivos aos índios relativos às terras em que nasceram, à educação bilíngue, à saúde e à preservação e fomento de seus idiomas, tradições, crenças e cultura.

Juruna desconcertou o Congresso Nacional vezes sem conta. Sua espontaneidade e nenhuma fidelidade às regras civilizadas do discurso incomodaram senadores, deputados, ministros e generais. Na tribuna e fora dela, ele escancarava as mazelas do regime e as misérias da pessoa humana alçada ao poder. Muitas vezes se cogitou de lhe fazer censuras públicas e até de anular-lhe o mandato. A ditadura podia tudo. Inclusive zombar dele e atribuir-lhe malfeitos de responsabilidade que, depois se soube, eram de Paulo Maluf. Ninguém se surpreendeu.

Morreu doente e infeliz numa tapera perto de Brasília. Só o PDT lhe foi fiel até o fim. Não o esqueceu e cuidou dele até sua morte em 2002.

Quanto às sociedades indígenas... Essas seguiram expropriadas, desrespeitadas e nômades, escorraçadas das aldeias em que nasceram para dar lugar à civilização.

A Madre

Os tempos eram de arbítrio e de atrocidades inimagináveis, mas ela era imbatível. Nada a abatia nem a demovia da luta diária que travava nas delegacias e nos DOI-Codi da Polícia do Exército. Havia algo nela que a tornava incansável, até parecia blindada, inatingível. Não havia nada que ela temesse, nada que a fizesse recuar, nenhuma brutalidade, nenhuma ameaça, nenhuma intimidação, nenhum horror.

Cansou de ir de delegacia em delegacia e de quartel em quartel sem ser molestada. Ia sempre à procura de alguém que fora preso e felizmente se sabia que estava neste ou naquele lugar e então havia esperança de liberdade. Se não se soubesse onde as pessoas estavam, não havia esperança para elas. Provavelmente seriam torturadas, desaparecidas ou mortas. Então, olheiros como a jornalista beata pregando são João Evangelista em frente ao DOPS e gente movida por uma coragem quase louca fizeram muita diferença naqueles tempos. Elas salvaram muitas vidas, diminuíram a extensão das tragédias e não deixaram a esperança morrer.

Era mesmo um milagre! Aquela mulher entrava e saía dos centros de tortura localizando e exigindo tratamento humanitário aos presos políticos, e as feras fardadas ou concursadas da ditadura não se atreviam nem mesmo a questioná-la! Nem sequer a insultavam, acostumados que estavam a palavrões e obscenidades! Ninguém a afastava do que se impunha em sua luta contra a opressão. À sua passagem, os carrascos pareciam humanizar-se.

Por piores que fossem as ameaças e as dores, nada conseguia derrubá-la nem a atingia. Ela contava com uma proteção que, não havia quem não acreditasse, não era deste mundo! Não podia ser! A explicação só podia ser divina: Deus e também Nossa Senhora deviam estar o tempo todo com ela! Só podia ser!

Não se dava direito ao descanso. Dormia muito pouco. Tinha muita gente a proteger, a esconder da sanha assassina das delegacias e dos DOI-Codi. Eram operários, donas de casa, estudantes, artistas plásticos, professores, músicos, jornalistas, trabalhadores que de algum modo desafiaram a ditadura, lutaram pelas liberdades individuais e constitucionais, plantaram a resistência, não podiam fazer mais do que já tinham feito e agora precisavam de quem os ajudasse e os livrasse da prisão, da tortura, do desaparecimento e da morte.

Organizou vários movimentos sociais, intermediou o encontro de muitas pessoas procuradas pela repressão, escondeu muita gente, mas não se escondeu da repressão. Enfrentava-a de peito aberto. Como se não fosse humana, como se não fosse frágil e vulnerável, como se estivesse acima de todas as dores. Quem era aquela mulher que se mostrava frágil e humilde tantas vezes, mas nunca impotente nem cansada? Quem era aquela mulher tão desprendida de sua própria condição humana, mas que, ainda assim, emanava uma energia tão calorosa e tão enigmática que até a brutalidade dos centros de tortura não conseguia alcançar? Quem era aquela mulher?

Nasceu Célia Sodré Dória, mas escolheu chamar-se Cristina no convento. Era madre Cristina, cônega de Santo Agostinho, em São Paulo, psicóloga e professora universitária. O hábito não a manteve na clausura nem nas igrejas. Nem antes nem depois do golpe de Estado. Esteve sempre nas ruas lutando pelo pão, o teto e o remédio para os desvalidos. Também não a impediu de pichar os muros de São Paulo contra a ditadura. Praticou a resistência dentro e fora da cidade e sempre foi acompanhada na pichação especialmente por operários e estudantes madrugadas e madrugadas adentro. Eles a protegiam. Ela os protegia.

Era conhecida como "a freira comunista", "a comunista radical". Já antes de 1964, sua militância enervava a polícia e o Comando de Caça aos Comunistas. Também não era bem-vista por alguns segmentos da população que, por ignorância, preconceito ou interesses escusos, se mostravam contrários aos direitos legítimos de cidadania. Os perseguidos não eram apenas os marxistas, os leninistas, os trotskistas e os prestistas. Muitos outros também eram considerados subversivos simplesmente por desejarem avanços para o país. Eram sociólogos, que não tinham a profissão reconhecida e o reconhecimento não era de interesse do governo nem de potências estrangeiras que queriam o Brasil colonizado; eram físicos e biólogos que queriam autonomia científica e ciências livres do colonialismo; eram músicos, atores e artistas plásticos que não queriam uma arte e uma música amordaçadas nem repeteco das artes estrangeiras, mas artes fundamentalmente brasileiras e, por isso, viam-se tolhidos por brutalidades e carnificinas institucionalizadas. A eles se juntavam os que defendiam sua negritude, como Solano Trindade o fez a muitos custos pessoais, iniciando a batalha nacional contra o racismo, os que queriam para a mulher o mesmo direito do homem ao trabalho e às carreiras profissionais, os que lutavam pela divisão mais equânime da terra e dos bens sociais.

Não havia causa destinada à conquista da dignidade que ela não considerasse causa religiosa e igualmente causa política. Quando criança já se preocupava com os que tinham demais e com os que tinham de menos. Por que a fartura para uns e a privação e a miséria para tantos? Não podia ser diferente durante a ditadura. O hábito não a impediria da atuação política, ainda que os riscos fossem gigantescos.

Desde menina já emanava aquela energia intrigante. Já fazia perguntas que só podiam ser respondidas em liberdade e com trabalho, trabalho, trabalho, muito trabalho. Se dependesse dela, o mundo se tornaria melhor, as pessoas não seriam tão pobres, ninguém ficaria sem as letras, o teto, o emprego, o transporte, a saúde, a segurança, o pão.

Sabia que o seu destino era a igreja, a compreensão da condição humana, o embate contra os fascistas, estivessem eles onde estivessem. Por isso optou pela educação, alfabetizou muita gente, escreveu livros de psicologia infantil, ajudou na implantação da primeira clínica brasileira de psicologia em 1940, participou da criação do primeiro curso superior de psicologia em São Paulo e, como cientista, pesquisou e publicou estudos sobre as neuroses e psicoses das várias idades, enfatizando os fatores de risco que na infância comprometem a possibilidade da saúde mental e emocional dos adultos.

Entendia todas as ciências e especialmente a educação e a psicologia como espaços políticos destinados a ampliar a possibilidade do bem-estar social em todas as áreas da vida humana. Por isso, mesmo correndo riscos, abriu o Instituto Sedes Sapientiae durante vários anos para o encontro de pessoas que queriam um Brasil livre, democrático e capaz de trabalhar pelos direitos humanos básicos. Sonhos fundamentais, enfim.

Sonhos que ela não deixou de sonhar nem por um só instante, mesmo quando o telefone tocou e, para que ela ouvisse e se desesperasse, mataram o estudante mineiro Carlos da Matta Machado do outro lado da linha. Ela ouviu o sofrimento e o terror daquele quase menino que a acompanhou em muitas das pichações pela capital e o interior. Se a repressão cada vez mais ativa, ardilosa, inconsequente e cruel tinha a intenção de demovê-la de voltar às delegacias e aos DOI-Codi, não conseguiu. Ao contrário do que os assassinos esperavam, a morte brutal do estudante daí por diante não lhe permitiu nenhuma trégua, nenhum descanso, só lhe aumentou a busca por justiça e por liberdade.

Acreditava que a Igreja ou era revolucionária ou não era cristã. Estava com quase sessenta anos e ia continuar pichando as ruas de São Paulo contra a ditadura, ia continuar escondendo os perseguidos e ia continuar indo de delegacia em delegacia para localizar presos políticos e denunciar os flagelos vividos nos centros de tortura.

Saiu ilesa das prisões e dos embates.

Quem poderia explicar a razão?!

As Ruas

Brasil, anos 40. Era pequenininha, teria talvez quatro ou cinco anos, quando viu Luiz Carlos Prestes pela primeira vez numa manhã tristonha e fria. Jamais esqueceria. Foi na Rua Ana Néri, na Mooca habitada especialmente por espanhóis e seus descendentes, nenhum abastado. Todo mundo havia saído às ruas para ver a passagem do comunista agrilhoado pela ditadura de Vargas. Estava sem camisa, tinha uma corrente em volta da cintura e do peito, parecia doente e mal se firmava na carroceria do caminhão. Não era por acaso. Getúlio e as Forças Armadas achavam que, se mostrassem o comunista preso e humilhado pelas ruas de São Paulo, deixariam uma advertência explícita a quem ousasse pensar em outro regime político para o país. Além disso, exibir o líder derrotado enfraqueceria os comunistas. A ditadura gostava das ruas.

Muitos anos depois, já adulta e repórter recente, ainda se lembrava do rosto de puro tormento daquele homem triste que, em sua alma de criança, parecia deixar-lhe alguma mensagem. Deixou. Ela também lutaria pela justiça e as liberdades vida afora. Em qualquer lugar e a qualquer tempo. Nas ruas também.

Assistiu e documentou as manifestações populares e a repressão nas ruas de São Paulo quando da ditadura militar. O centro da capital tornou-se um campo de guerra, armas de um lado e, na maioria das vezes, milhares de bolinhas de gude do outro. Eram armas de estudante. Lançadas no asfalto e nas calçadas, dificultavam o trote dos cavalos e a prisão dos manifestantes; a cavalaria trotando furiosa pelo Largo São Francisco, a Praça da República, o Viaduto do Chá, o Vale do Anhangabaú, as ruas históricas, a Avenida São

João, a Ladeira Porto Geral, o Largo do Paissandu, a Praça da Sé; os camburões largando centenas de policiais armados até os dentes e, no meio das pessoas gritando palavras de ordem, centenas de "cachorros" prontos para a delação. Do alto dos edifícios, chuvas de papel picado diziam da insatisfação nacional contra o regime. Assistiu, escreveu, documentou e publicou quando deu; escapou de uma máquina de escrever jogada de um quarto andar contra a repressão, quase foi presa por um soldado da cavalaria, foi salva pela equipe jornalística da TV Tupi e voltou à redação para escrever as reportagens que a chefia expurgou inteiras ou pela metade trocando informações vitais por receitas de bolo.

De vez em quando, muito de vez em quando, a censura cochilava e dormia no ponto. Alguma tristeza saía publicada com fotografia e um ou outro verso de Camões misturado ao texto. O castigo aos jornalistas e a retaliação ao jornal viriam depois. Poucos se importavam com isso. Estavam cheios de tanto bolo. Pagariam o preço.

Brasil, 1964. A ditadura continuava amante das ruas. Já no 1º de abril, a população perplexa era dissolvida em qualquer canto do país se nos grupos tivesse mais de três pessoas não aparentadas. A indignação e o medo afloraram. A violência também.

Já no 1º de abril, a ditadura malnascida fez questão de escancarar a força e a brutalidade com que, daí por diante, governaria os brasileiros. No Recife, o líder camponês Gregório Bezerra, já com sessenta anos, foi acorrentado a um jipe do Exército e arrastado pelas ruas com as mãos amarradas, cordas no pescoço e o corpo cheio de ferimentos e hematomas. Estava com os pés queimados com soda cáustica e a cabeça ferida por coronhadas. A ditadura gostava das ruas.

Insatisfeito de só mostrar o homem humilhado, torturado e indefeso, o militar comandante incitava o povo a participar do enforcamento do comunista. Quem abreviou o suplício de Gregório Bezerra foi outro militar, o general Justino Alves Bastos, horrorizado com a brutalidade que se estendia pelo país. A notícia escapou. As imagens também.

Brasil, 1968. Mil estudantes universitários e secundaristas de todo o país reuniram-se em um pequeno sítio de Ibiúna, cidadezinha do interior de São Paulo, naquele que deveria ser o 30º Congresso da União Nacional dos Estudantes. Não foi. Logo às 7 da manhã de sábado, quando os trabalhos deveriam ser iniciados, os estudantes foram acordados por uma saraivada de tiros. Eram 250 policiais do Exército e da Polícia Civil que desmantelavam o congresso antes mesmo de começar. O lugarejo, já na quinta e na sexta-feira, estranhou o volume de compras feitas nas poucas vendas locais por um número também muito grande de rapazes e moças. Denunciaram.

A repressão baixou e não fez por menos, deu aula de organização e estratégia à juventude. Chegou sem se fazer notar, cercou a chácara em silêncio de raposa em noite de caça e despertou os estudantes atirando para o alto. Bem mais adiante, dezenas de ônibus e de caminhões já estavam estacionados na estrada de São Sebastião. A essa distância, chegaram durante a madrugada sem serem ouvidos por ninguém no acampamento.

Sob a mira de fuzis, a coragem mesclando-se ao medo e à frustração, os estudantes foram se acomodando nos veículos. O destino era o presídio Tiradentes em São Paulo. Não sem antes serem exibidos presos e humilhados à população nas ruas de Ibiúna, Cotia e Vargem Grande. Eram comunistas, mereciam o desprezo da família brasileira. A notícia escapou. Agora sem receitas de bolo nem versos de Camões. À ditadura interessava a divulgação. Escrita, falada, fotografada e televisiva. Considerava que aquela tinha sido uma vitória de titãs contra a subversão e o comunismo. A hidra delirava.

Brasil, 1970. O Exército cumpria seu dever cívico de divulgar as Forças Armadas em todo o território nacional e mostraria esmero na defesa do Estado, especialmente na semana da pátria. Em Belo Horizonte, um grupo de oitenta e quatro índios, soldados de farda verde-oliva e coturno chamava a atenção em meio ao desfile dos soldados das várias armas de combate, dos canhões e dos veículos de guerra. Índios fardados já eram novidade das grandes, mas o que se estava vendo era muito maior, doía aos olhos, interrogava a brasilidade. Era difícil de ver e de acreditar. O que a população via e alguns até se deleitavam era de uma crueldade espantosa. Todos queriam ver, ninguém acreditava! Era mesmo isso? Vamos ver de novo, mais de perto! E lá iam as pessoas perplexas se deslocando pelas ruas da capital mineira ao passo da recém-criada Guarda Rural Indígena pelos órgãos da repressão. O que os soldados índios mostravam aos brasileiros, se era absolutamente inacreditável, era também absolutamente inaceitável! Mostravam um pau de arara vivo carregado por dois indígenas a vinte centímetros do chão! Não se soube se o infeliz, o indigitado da vez, era algum preso político, mas a verdade é que aquilo era inconcebível. Não estava nu como acontecia nas salas de tortura, mas aquilo era tortura: uma barra de ferro atravessava-se entre os punhos e os joelhos do desgraçado. A posição e a impossibilidade de movimento e de descansar a cabeça solta no ar causava dores atrozes. Nos quartéis, o suplício era acompanhado de pancadas, choques e queimaduras. Na rua servia de recurso pedagógico contra a subversão. A notícia escapou. Inteira e fotografada. Foi para as emissoras de rádio e para a televisão. A ditadura não se envergonhava.

Ela sim. Era jornalista, educadora, cientista social, artista. Envergonhava-se do arbítrio, da opressão, dos desmandos, da crueldade. Envergonhava-se das almas pequenas, das que louvavam a traição à brasilidade, dos que celebravam o poder das armas, do capital, da ingerência estrangeira, das leis e do estado de exceção. Envergonhava-se da política colonizada e da educação submetida ao silêncio e à catequese. Envergonhava-se da universidade acovardada, da imprensa reduzida a caderno diário de receitas culinárias. Envergonhava-se da justiça vencida.

Lembrou-se a vida toda daquele rosto de puro tormento do homem triste e humilhado mostrado pela ditadura de Getúlio Vargas em cima de um caminhão nas ruas de São Paulo quando tinha apenas quatro ou cinco anos. Lutar pelas liberdades era o seu destino.

O Fantasma

Foi uma procura vã. Até se sentiu uma desbravadora em tempos eletrônicos e tecnológicos absolutamente inóspitos tão extensa e insistente foi sua busca na internet. Afinal, caminhava para os oitenta anos. Não tinha intimidade com a cibernética. Sentiu-se uma versão feminina, navegante e contemporânea de Cristóvão Colombo explorando territórios desconhecidos nunca antes literalmente navegados, nem sequer vislumbrados. Buscou em cada uma das dez páginas de cada registro do Google: primeiro o nome completo, nada! Depois procurou pelo primeiro prenome e o sobrenome, nada! Depois pelo prenome duplo e o sobrenome, nada! Depois só pelo sobrenome, mais trinta páginas de registro e nada! O que surgiu não era ele, mas outros, muitos outros. Nenhum tinha importância. Ele, que tinha, não estava lá.

Procurou só pelo sobrenome, famoso nos romances açucarados que havia lido na juventude. No registro do Google, o que se encontrava era um *dom juan* do século XVII que acabou por atravessar quatro séculos para nomear tanto o mais refinado quanto o mais comum dos casanovas, os canalhas, os salafrários, os que das mulheres só queriam o prazer e a conquista. Nada mais distante dele, que mal sustentava o olhar de uma mulher.

Era de desanimar, mas ela era persistente. Fazia meses que ele não saía da sua lembrança, há cinquenta anos tivera importância em sua vida e agora ela não o queria ausente. Ele tinha que estar em algum lugar, talvez na Wikipédia, quem sabe alguém do Facebook desse alguma pista! Quem sabe nas outras redes sociais? Ele não podia ter desaparecido! Ela não queria, sentia falta dele no mundo, ele o tornava muito, mas muito melhor. Onde ele estava? Onde?

Depois, outra vez conectada, procurou pelo nome completo, um nome forte demais para quem sempre lhe pareceu frágil como uma flor, um inseto, uma alma. Ao nome acrescentou uma das cinco profissões, uma por vez: nome e sobrenome mais jornalista ou professor, ou tradutor, ou linguista ou filósofo. Novamente nada! Mais cinquenta páginas de registro no Google e nada, nada! Até parecia que ele nunca tinha existido. Não era possível uma coisa dessas! Todo mundo deixa um legado, mesmo que sejam ossos metidos em algum pedaço de terra degradada e longínqua! Sabia de sua morte há muito tempo, mas e o legado? E a sua marca no mundo? O que ficou de sua passagem? Afinal, ele não era um qualquer! Tinha história!

Continuou buscando. A internet, afinal, sabia de tudo, investigava tudo, noticiava e escancarava tudo, nada se escondia dela, ia lhe dar alguma luz. Ninguém ficaria oculto, nem vivo nem morto! Haveria de achar, ah! haveria! Alguém teria o que contar. Alguém se lembraria de alguma coisa! Afinal, foi um filósofo, um jornalista, um bom jornalista em tempos de censura, prisão, tortura, desaparecimento e morte. Nada a impediria de procurar, procurar por pelo menos algum vestígio daquele que em vida parecia ser um fantasma, um fantasma erudito, mas fantasma, um fantasma apaixonado por samba, Noel Rosa e Lamartine Babo, mas fantasma, um fantasma ateu e apaixonado por Spinoza, mas fantasma.

Não encontrou nada. Nem no *site* do jornal, à época o mais importante do país; nem no da universidade, também a mais importante do país no passado e também agora; nem no das editoras que durante a ditadura, mercado editorial amordaçado e quase fechado, publicaram suas traduções de obras de referência sobre filosofia e educação na Antiguidade Clássica, importantes por si só, mas recurso ardiloso para se falar de liberdade num país destroçado pelo arbítrio. Então não tinha cabimento ele não estar em nenhum lugar. Tinha que estar! Havia sido um gênio em vida, um gênio tímido, avesso a qualquer holofote, real ou social, mas tinha porque tinha que estar em algum lugar, não podia ter sumido assim da memória coletiva. Não podia! Ou podia? Talvez ele mesmo tivesse apagado seus rastros! Ela até achava que essa era uma probabilidade nada descabida no caso dele. Do jeito que ele era! Quase pedindo desculpas por existir!

Tinha vinte anos quando o conheceu. Foi seu professor de filosofia e, à primeira vista, era mais um sujeito no mundo da lua e que não parecia ter nada de especial, a não ser os muitos livros germinando adoidado na cabeça. Era alto, corpulento, parecia carregar nos ombros o peso do mundo e, talvez por isso, tinha o pescoço fincado neles e movia a cabeça com dificuldade. Estava sempre sorrindo. Um sorriso tímido, envergonhado, intrigante e congelado sob o nariz pequeno demais para os enormes óculos fundo de garrafa. Falava devagar, quase monocórdio, mas o que dizia fazia sentido para ela que andava se fazendo perguntas estéreis de respostas. Além disso, ele dizia coisas difíceis de assimilar, coisas sobre o insondável da existência e que escorriam da boca sempre sorridente como uma paixão emudecida, mas consolidada. Por um único bimestre falou de Spinoza. Com os dois, mestre e discípulo, ela se disse panteísta por muito tempo e apaixonou-se pela filosofia pelo resto da vida. Os anos se passaram e ela não mais se lembrou dele.

Bem mais tarde, escolheu-o para seu orientador no doutorado. Havia escolhido escrever uma tese sobre as liberdades fundamentais na educação. Ele tentou dissuadi-la. Naquela época até falar em liberdade entre amigos era perigoso, quanto mais escrever e defender direitos humanos. Não teve êxito. Ela defenderia as liberdades por toda a vida.

Era 1968 e o AI-5 violentava a alma brasileira nas universidades, nos meios de comunicação, nas ruas, nos domicílios. Ele continuava panteísta e ateu, mas era outro, brincava com as contradições, suas e de todos os outros e, apesar da fala doutoral, mostrava-se abertamente intenso e sob a tortura de uma voz e de uma escrita silenciadas. Também mantinha o mesmo sorriso tímido, intrigante e congelado, a mesma fala lenta e monocórdia, o mesmo peso do mundo sobre os ombros. A diferença é que agora ele não tinha pudor em expor para ela sua ontológica solidão. Estava só no mundo. Apesar da mãe quase centenária e ainda urobórica. Apesar do casamento e suas promessas fracassadas. Apesar do filho adorado para quem ele sonhava a liberdade. Apesar do gigantesco trabalho de imprensa, de ensino, de produção intelectual. Apesar da boêmia e da música que ele amava tanto. Apesar de milhões de outros sentirem a mesma dor pela nação subjugada e traída. Ele simplesmente respirava solidão. Nem parecia estar vivo. Simplesmente planava pelas ruas, pelas redações, pelas salas de aula, pelas editoras, pelos botecos. Como um fantasma.

Ela era capaz de lhe sentir a evanescência interior, a fertilidade da alma e das ideias, a dor de estar vivo. O chorinho, o samba, a música popular brasileira, enfim, tinha o dom de apaziguá-lo e por isso, porque ela, a doutoranda, lhe assegurava sem saber algum sentido, ele, assim, de surpresa, sem motivo nem explicação, cantou para ela *O Amor, o Sorriso e a Flor* tamborilando com os dedos numa caixa de fósforos um dos sambas gravados por João Gilberto. Até lhe deu o disco de presente. Já no início da melodia ela sentiu pela primeira vez que de algum modo o tinha tocado, que talvez fosse para ele uma conexão, um armistício consigo mesmo, uma esperança. Talvez ela fosse para ele o amor, o sorriso e a flor. Naquela noite foi sua mulher.

Viram-se mais uma vez depois de muitos anos. Era um tempo novo de redemocratização do país. Ela foi vê-lo na gigantesca editora. Na redação não o viu em mesa alguma. Voltou à recepção e o funcionário, surpreso por ela não o ter visto, acompanhou-a de volta à redação. Ela não o havia visto? Talvez ele tenha saído... mas não! Ele estava ali logo na primeira mesa. Mas... era mesmo ele?! Só o reconheceu muito de perto. O homem alto, corpulento e grandalhão não existia mais. O país, a esposa desaparecida, o filho drogado, a mãe morta e o câncer o consumiram em peso, estatura, força, juventude e fé. Sorriu ao vê-la, aquele mesmo sorriso tímido e envergonhado, agora nada intrigante, falou pouco, a voz quase sumida. Não era mais panteísta, nem ateu nem teísta e fazia tempo que não mais procurava o sentido da vida. Era um nada. Apressou-se em despedi-la, não deu chance para um abraço e não se levantou. Pediu desculpas muito menos por isso, ela sentiu, do que por estar como estava, por estar como sempre esteve, escapando, apagando seus rastros, negando-se ao legado. Como um fantasma.

Depois de tanto buscar na internet pelo seu nome e não encontrar nada, um sentimento estranho de intimidade, segredo e reverência a fez imaginar como ele estaria agora se estivesse vivo. Descobriu que tudo nele era inesquecível: gostava daquele sorriso tímido, daqueles olhos interrogativos emoldurados pelos enormes óculos fundo de garrafa, daquela voz grave e monocórdia que tornava o desejo de liberdade cada vez mais urgente, daquele homem nada atraente que pensava fundo linguagens e filosofias, daquela solidão que amava Noel Rosa, Spinoza e Lamartine Babo. Se ele quis fazer-se nada e desaparecer, não conseguiu. Ele não podia escapar. Ao menos em sua memória ele ficou. Ficou também no livro que ela escreveu um dia. Não pôde escapar do legado.

As Aparências

Ambas eram jornalistas, mas na redação ninguém as sentia assim. Não eram da nata jornalística, da elite dos repórteres, editores, colunistas de importância, os pauteiros, os cinegrafistas, os fotógrafos e as chefias. Esses até lhes devotavam algum desprezo ou uma indiferença sórdida. Não eram como aqueles que faziam cidade, economia, política, educação, ciência, reforma universitária, USP, PUC, Getulio Vargas, Fiesp, Petrobras, saúde, justiça, esportes, trabalho, polícia, mobilização estudantil, cultura, indústria, movimento operário, internacional e o raio que o parta tentando de vez em quando driblar a censura. Eram menores. As duas eram menores e ponto.

A mais velha, sessenta e dois anos ou quase, era uma figurinha que doía só de ver. Tanta maquiagem, tanta futilidade, estava sempre emperiquitada, terninho de grife, saltos altos, cabelo duro de tanto laquê, bolsas e mais bolsas, uma para cada *look*, unhas longas e cintilantes e muita joia, todas de verdade. Só fazia fofoca, isto é, era colunista social. Estava sempre metida na alta sociedade e vivia informando como tinha sido a festa do magnata tal, quanto uísque escocês tinha rolado, quem vestia o quê, quem viajou pra Paris e foi fazer um *tour* de três meses pela Europa, quem estava ganhando rios de dinheiro com o que, quem estava dormindo com quem, quem estava em Harvard ensinando política financeira, quem estava esquiando nos Alpes suíços, quem iria receber em jantar de gala o general este e aquele outro etc etc. Sabiam que fulano vai casar com sicrana dia tal na Santa Cecília? Que fulano é tenente-coronel do Exército e que os padrinhos são o brigadeiro tal e o almirante tal e suas respectivas?

Como todo colunista social, também ela se achava o máximo ou se mostrava assim de caso pensado, de propósito. Nem cumprimentava a ralé, ou seja, os jornalistas de verdade, os que iam para as ruas e ralavam. Literalmente. E como ralavam! Tirania legalizada, fuscas das empresas queimados em plena rua, repórteres espancados, cacetcados, ameaçados, bombas explodindo onde houvesse mais de três, afinal o AI-5 proibia qualquer tipo de reunião, mesmo trabalho de equipe escolar ou de imprensa. Esses sim eram jornalistas! De fôlego, de peito, jornalistas de verdade!

A mais nova, entre trinta e três e trinta e cinco anos, era tão apagada, tão apagada que ninguém percebia sua falta e, quando estava presente na redação, também ninguém percebia. Era invisível e inaudível. Ninguém identificaria sua voz em meio a outras ou ao telefone se precisassem. Não precisavam. Nada nela denunciava ter ido algum dia ao salão de beleza cuidar minimamente da aparência. Ela não estava nem aí com ser ou não ser *fashion*. Cabelo seco, sem corte e maltratado, unhas roídas, pele oleosa e sem viço. Vestia-se com absurda simplicidade, roupa barata, estilo valor zero, sempre de cinza e preto, gola alta, mangas compridas, meias de algodão compridas e horrorosas, sapatos quase masculinos, feios, sem graça nem graxa. A chefia não achava que pudesse lhe atribuir pautas de peso. Mesmo se fosse brilhante, não poderia entrevistar alguém ou cobrir algum evento importante com aquela aparência de beata solteirona, desiludida, desleixada e malcheirosa. Então, não tinha jeito, só lhe restava a cotação diária das moedas nacionais, dos índices das bolsas de valores e do boi gordo. Só fazia a cotação, levantava os valores, a análise era feita por um jornalista de verdade. Ela não era nada na redação. O contínuo semianalfabeto, em caso de precisão, poderia sem nenhum problema ir buscar sem demora os números necessários à editoria econômica. Ele fazia diferença. Ela, nenhuma.

Enfim, nenhuma das duas fazia mesmo jornalismo, era o que pensavam uns e outros. Nada a respeito delas causava qualquer espanto, qualquer comoção, mas, por mil demônios!, não se sabe por que cargas d'água a tirania desconfiou!

Quando ambas foram presas na mesma semana, os neurônios de todo mundo eriçaram-se aterrorizados. Se aquelas coitadas que nem eram jornalistas de verdade foram enquadradas na Lei de Segurança Nacional, o perigo estava à espreita. O censor de farda verde-oliva e de coturno refestelado na redação vendo e ouvindo tudo não era suficiente, que cada um cuidasse da própria pele e maneirasse nas opiniões e na escrita! Desemprego? Onde?! Inflação? Onde?! Pobreza? Onde?! Trabalho infantil? Onde?! Prostituição? Onde?! Luta pela reforma agrária? Onde?! Falta de escolas? Onde?! Sistema de saúde indecente? Onde?! Tráfico de mulheres? Violência? Onde?! Drogas? Onde?! Onde?! Onde?!... Em boca fechada não entra mosca e, em jornal vendido ou rendido, só entram altas patentes e jornalistas de verdade, já dizia alguém que morreu de velho.

Quando a fofoqueira letrista chegou em casa no final de uma tarde de trabalho cansativo num desfile de moda de doer, pra cima e pra baixo encarapitada naqueles saltões, não encontrou o filho deficiente, trinta e três anos, 1,60 m, noventa quilos, mongoloide e incapaz de se virar sozinho para qualquer coisa. À época era assim que se chamava o portador de síndrome de Down, que, também à época, quarenta anos atrás, não detinha nem o respeito nem o tratamento necessário como se tem hoje. Ele ficava sozinho em casa uma única tarde durante a semana toda, só uma tarde, porque esse era o único dia que a tia, irmã de seu pai já falecido, não podia cuidar dele nem lhe fazer companhia. Todos os outros dias, ela cuidava dele amorosamente como de um bebê, porque era assim que ele era, enquanto a cunhada, que ela adorava, trabalhava sua coluna social em meio à bajulação universal.

Durante quatro dias de franco desespero, a jornalista de plantão no teatro das vaidades não soube do filho, não estava em lugar nenhum, ninguém sabia dele. O apartamento estava exatamente como deixou quando saiu para o trabalho naquela tarde, os vizinhos não o tinham visto, o porteiro do edifício que tinha saído por alguns minutos para se aliviar, não tinha certeza, mas achou que ele tinha saído com o cachorro pela garagem, a polícia também não tinha o que lhe dizer, nenhum hospital acusou sua entrada, não tinha dado entrada no IML, felizmente, e as emissoras de rádio transmitiram o desaparecimento por vários dias, mas nada! Nem sinal! Nem do moço nem do cachorro!

No domingo, a mãe desesperada se arrastou exausta e descomposta, mas cheia de esperança, até a Praça da República. Ia lá todos os domingos, porque o filho adorava ver aquele movimento todo de gente fazendo de tudo e vendendo artesanato, pinturas, bordados, tricôs, salgados e doces de tudo quanto é coisa, tamanho e cor. Todo mundo o conhecia, as pessoas gostavam dele e até lhe davam bolo e presentinhos, coisinhas baratas, só pra ele ficar contente, era um criação! Talvez alguém o tivesse visto! Talvez alguém o tivesse visto andando perdido pelo centro e o tivesse levado para a própria casa, porque a dele ele não sabia onde era nem onde a mãe trabalhava, porque nem sabia o que era um jornal ou o que era ser jornalista.

Nesse domingo, ela foi presa lá mesmo na Praça da República e levada para o DOI-Codi. Encontrou o filho pelado. Ele chorava aos soluços, sentado e amarrado na cadeira do dragão, todo sujo, mijado e cagado, já pronto para o choque. Graças a Deus! Não fora torturado, estava assim por causa do desamparo, por causa do medo porque, se não sabia das coisas, sabia o que era ter medo.

A ela não fizeram nada, estava velha, 1,50 m e quarenta e três quilos já bem encarquilhados. Não mandaram-na despir-se, não passou pelo corredor polonês nem pela palmatória, não lhe deram pentotal, não lhe disseram palavrões nem obscenidades, não a estupraram, não a ameaçaram de coisa alguma, não a colocaram sob holofotes de altíssima potência nem estraçalharam seus tímpanos com *rock* pesado em último volume por várias horas, não a colocaram na geladeira nem no hiperaquecedor, não lhe deram comida podre nem cheia de pontas de cigarro, deram-lhe água e não urina. Podiam relaxar, afinal torturador também tem direito a direitos. Já tinham feito o bastante.

Ficou lá por vinte dias, vendo o filho chorar de medo e pedindo pra ir pra casa. Estava com saudade do cachorro. No último dia, viu outra vez aquele homem-criança na cadeira do dragão sem um dente da frente, sangue escorrendo da orelha esquerda e cheio de hematomas. De novo pelado, sujo, mijado, cagado, pronto para o choque e pedindo pra ir embora. Foi quando ela, sem nunca ter sido tocada, pediu um revólver aos torturadores. Não iria delatar ninguém, não tinha porque delatar ninguém, não sabia de nada. Ia sim matar o filho e suicidar-se ali mesmo, ninguém precisava saber de nada, podiam desová-los em qualquer lugar, arrancar-lhes as digitais e desfigurá-los. Assim ninguém saberia do seu destino. Ela não se importava. Não tinha legado nenhum para deixar. Naquela madrugada, ela e o filho foram soltos num subúrbio bem distante de casa.

A moça especialista na cotação do boi gordo entrou na ruela em que morava nos Jardins e deu com uma movimentação estranha, não sabia exatamente o que estava acontecendo ali tão tarde da noite, mas percebeu que era a repressão montando um teatro para justificar um ou mais assassinatos. Espremeu-se contra uma porta tentando não ser vista, porque não podia voltar atrás. Mas foi.

Demorou muito pra ser vista de novo. Quando foi, meses depois, estava sem dentes e sem unhas, o corpo cheio de queimaduras de cigarro, o bico dos seios cortados, o útero estraçalhado. Não sabiam se ela tinha mesmo visto a simulação de confronto armado naquela noite nos Jardins. Desaparecer com ela não era boa opção, a moça era jornalista e filha de Maria, tinha a proteção de dom Paulo Evaristo Arns, bispo de São Paulo. A repressão tinha até fotos dela pregando São João Evangelista defronte ao DOPS. Além disso, por trás das cortinas dos apartamentos, muita gente poderia ter visto a sua prisão. A solução foi jogá-la em um beco da zona do meretrício pronta para a morte. As mulheres de difícil vida fácil a recolheram e cuidaram dela em segredo por várias semanas. Sobreviveu. Tinha sido testemunha de um confronto que não houve entre a repressão e militantes contra a ditadura, porque esses já haviam sido mortos na Oban.

Quando, afinal, a empresa soube das duas mulheres, ambas estavam destruídas. Souberam também de modo radical que as aparências muitas e muitas vezes enganam. Todos estavam redondamente enganados, o jornal e a repressão. A velha senhora, tão frágil, de imagem triste de se ver, tanta futilidade, a maquiagem, os terninhos de grife, os saltos altos e as joias, todas de verdade, era da resistência ao regime. Sua função era informar a subversão sondando a elite durante os festivais de bajulação divulgados em sua coluna. A moça que sabia tudo de Deus, de moeda e de boi gordo sabia demais. O jornal e a repressão estavam redondamente enganados. Não era uma mosca-morta. Ela não só viu o que viu naquela noite, mas também viu muita gente chegando no DOPS aos gritos em pleno dia. Era olheira, boa olheira, e escutava bem, quase ouvido perfeito. Nada lhe escapava.

A semana no jornal foi de vergonha e reflexão. Os jornalistas de verdade estavam tristes e revoltados com eles mesmos por tê-las discriminado e tratado com arrogância e desprezo. Aprenderam alguma coisa, não se sabe bem o que, mas, de fato, quem vê cara não vê coração, eles não tinham como saber quem eram aquelas duas. Cada qual a seu modo, elas não eram quem pareciam. Cada qual a seu modo, elas eram quem não pareciam.

A equipe jornalística não se reuniu porque estava proibido, ninguém abordou o sindicato porque estava proibido, ninguém escreveu coisa nenhuma nem divulgou porque estava proibido. Também não telefonaram uns aos outros pra trocar ideias sobre o que fazer porque todas as linhas estavam grampeadas e eles mesmos se proibiam. Sentiram-se covardes, impotentes, vulneráveis, bananas, mas pelo menos conseguiram juntar algum dinheiro e pagar um período insuficiente, mas extenso, de tratamento médico e sonoterapia para as duas e o filho da colunista social. Quem recolheu a grana mês a mês foi o contínuo. O homem era semianalfabeto, ignorante, mas leal. Podia falar com todo mundo e não precisava esconder para quem era o dinheiro. Não ameaçava ninguém. Podiam confiar.

No jornal, o editor de economia não pediu ajuda aos estagiários e foi à luta. Tratou de buscar ele mesmo as cotações das moedas nacionais, das bolsas de valores e do boi gordo e acabou descobrindo novas vertentes para sua prática de jornalista não só economista, mas especialmente de cidadão. Tornou-se testemunha viva do que as oscilações dos índices econômicos podiam fazer à nação. Outro jornalista, velho, cínico, famoso, extremamente crítico e de língua ferina incontrolável, passou a fazer as fofocas do dia, gracejando com a elite e os altos escalões da ditadura militar, sempre muito elegante em seu terno de casimira azul e sua indefectível gravata borboleta vermelha. Ele não fora delatado pela velha fofoqueira. Escapara mais uma vez. Graças a Deus!

Às duas jornalistas, agora jornalistas de verdade, coube o exílio e o sentimento de que fizeram o que devia ser feito: uma não se deixou vencer pelo uso cruel que fizeram da sua maternidade e a outra não deixou de contar ao país o que havia visto e ouvido na noite em que foi presa e nas tardes que passou em frente ao DOPS pregando o Evangelho.

Do cachorro nunca mais ninguém teve notícia.

O Olhar

Desmoronou ao impacto daquele olhar. Devia ser um olhar cheio de medo ou de desprezo e repugnância como o das outras presas. Não era. Nem sequer era um olhar altivo, mas rompeu-lhe as defesas. Absorveu-o por inteiro. Como uma fatalidade, uma convulsão, um desafio.

Estremeceu quando se viu diante dela, pequenina, frágil, nua, violada e ainda assim demolidora. Não se lembrava de alguma vez ter sentido aquele desamparo, aquele desespero, aquela sensação de ter sido flagrado, descoberto, esquadrinhado, esmiuçado. Percebeu que também estava nu. Não podia esconder-se daquele olhar, proteger-se, blindar-se. Não podia fugir. A farda e as estrelas de tantos anos de serviço militar não encobriam sua vulnerabilidade, sua entrega, seu desmonte àquele olhar. Não o defendiam.

Havia aprendido a endurecer desde os tempos de cadete na Academia Militar das Agulhas Negras. Orgulhava-se do controle sobre si mesmo, da frieza com que tratava todos os outros, do gelo com que encapsulava as emoções. Cuidava da blindagem emocional como se reconhecer-se afetivo pudesse diminuir-lhe a devoção às Forças Armadas, às tradições e à ordem política e social. Era um soldado. Não era homem de paixões.

O que, afinal, estava acontecendo agora? De repente, por um único instante, sentiu-se assombrado por aquele olhar invasivo, aquele silêncio. De onde vinha aquela convulsão visceral, a certeza de que suas profundezas não eram mais só suas, a visão de que ele não as conhecia, mas ela as teria vislumbrado no instante de um único olhar?

Quando o sargento chamou-o para o interrogatório das mulheres presas dois dias antes, dois dias de tortura, medo e vergonha, não sabia que o que o esperava era o destino. Não pôde interrogar ninguém, perdido e subjugado por aquele olhar. Sentiu que se liquefazia aquilo que dentro dele era muralha, armadura e desterro.

A moça era quase uma menina. Devia ter dezenove, vinte anos. Os olhos muito escuros, mas cristalinos, deixavam antever que ali havia um subterrâneo, algo insondável que não viria à luz. Não era bonita ou pelo menos parecia não ser bonita, suja, ferida e maltratada como estava. Era um corpo sitiado, mas não era como os outros também sitiados. Nele havia algo intocável. O jugo e a violação não escondiam a utopia. Ela estava lá. No olhar que o atravessou como uma epifania e jogou-o, mortal, sobre os próprios escombros.

Deu ordens. Recolhessem aquelas moças. Providenciassem o banho, os curativos, a água, a comida, o sono, o sol. Devolvessem-lhes as roupas. Deixassem as presas em paz. Eram as ordens. Cumprissem.

Não conseguia tirá-la da cabeça, devastado por sentimentos que não conhecia. As noites sucedendo-se sem dormir, os dias passando vazios sem saber como continuar vivendo louco por aquela diferença que gostaria de conhecer e desfrutar. Qual seria o mistério daquele olhar?

Que enigma, que força era aquela capaz de escancarar-lhe tão impiedosamente a incompletude, a voracidade do vazio?

Viu-a ao sol, nudez encoberta, bandagens nas mãos. Andava devagar como se lhe fosse impossível andar de outro modo. Não a viu conversando com as outras presas. Sentiu-lhe as dores. Pareceu-lhe bonita vista assim por trás da persiana entreaberta. Quis mais. Queria ver mais, chegar perto, sentir-lhe a respiração, talvez o calor, ouvir sua voz. Não podia! Era um soldado! Reprimia a subversão à ordem instituída. Não podia render-se aos desejos, à fantasia, à compaixão e muito menos ao amor e à ternura.

Era um soldado! Defendia a pátria. Esmagaria os levantes, os inimigos, as conspirações. Ela inclusive. Mas... quem era ela? Não quis saber seu nome, sua identidade. Tinha medo, não sabia do que, mas tinha medo.

Por que? Por que aquele olhar o arrancou de uma profundidade que nem sabia existir? Quem era ela?

Precisava esconder-se. O que era aquele sentimento doloroso que o rasgava inteiro desvelando-lhe vontades desconhecidas? Por que se importava tanto? Era empatia? Queria reparar, proteger, cuidar, libertar? Ou era um sentimento novo que não queria nem podia admitir transgredindo sua ordem interna? Era homem do dever.

Por que agora, quatro dias depois de vê-la pela primeira vez, o desejo surgiu como uma fúria desesperada, por que não lhe importava mais o risco de perder-se naquele olhar, naquela carne? Sentiu que estava abrindo apressado o caminho para a morte.

Chamou o sargento pasmo há quatro dias com a suspensão dos interrogatórios e das torturas. Mandou transferi-la e às outras para o presídio Tiradentes. Não queria vê-las. Não queria saber delas. Lá estariam protegidas, as famílias seriam informadas do paradeiro de cada uma, ninguém sofreria mais. Aguardariam o julgamento.

Viu-a mais uma vez quando o camburão chegou. Sentiu-a diferente. Gelou quando ela olhou em direção ao comando. Como se sentisse estar deixando alguma coisa para trás. Teria ela pressentido sua presença por trás da persiana entreaberta? Sabia que ele estaria ali e que já não era mais o homem soldado de quatro dias atrás?

Dia seguinte, o capitão não compareceu ao regimento nem depois nem depois nem depois. Para ele não haveria armistício. Nem rendição.

O Herói

Se havia pessoa insignificante, essa era ele. Ele não só se sentia assim, como também sabia e se reconhecia insignificante. Não fazia diferença alguma, era pé de chinelo, mais um pobre coitado no lugar errado fazendo de conta que era quem não era. Um mané, assim mesmo com letra minúscula. Tinha pouco estudo, dizer que lia pouco era exagero, dizer que meio que escrevia era um disparate, mal sabia das coisas do mundo, mas mal ou bem estava registrado em carteira. Era redator na maior empresa jornalística do Brasil em plena ditadura. Isso é o que estava na carteira profissional com todas as sete letras: r-e-d-a-t-o-r. Erro crasso: redator em qualquer época e regime sempre foi função. Função de jornalista.

Era tão jornalista quanto a faxineira analfabeta ou o segurança do jornal que tinha muitos músculos e poucas ideias. Não se sabia por que mesmo tinha sido lotado na reportagem, mas estava lá escrito e assinado: re-da-tor. Tinha até mesa bem no fundo da gigantesca redação, uma máquina de escrever que nem catando milho ele usava nem precisava e também um telefone que não servia pra nada porque ninguém tinha nada a lhe dizer ou informar nem ele a ninguém.

Nunca teve nada publicado porque nunca escreveu nada, nem sequer uma notinha, nunca entrevistou ninguém, nunca saiu às ruas, nunca revisou nenhum artigo, nunca fez nenhuma reportagem. Sua única tarefa era o necrológio que ele compulsava dos cemitérios, do Instituto Médico-Legal e do departamento comercial que vendia espaço para o luto dos que tinham dinheiro de sobra e construíam mausoléus para abrigar com arte a fatalidade da morte. Para o que fazia só precisava de tesoura e cola, montava o obituário com os dados já datilografados que lhe passavam até às 3 da tarde e entregava pra impressão duas horas depois, sempre recomendando para que não acontecesse nenhum errinho, não se podia confundir a viúva de um com o viúvo da outra. Morto era morto, vivo era vivo. Trabalho chato, mas necessário e diário, jornalismo também era serviço e esse ele fazia muito bem. Afinal, pessoas morrem todos os dias, dizia muito sapiente para o chefe das máquinas que jamais respondia coisa alguma e que estava careca de saber que pessoas morrem todos os dias.

Na redação, ninguém se lembrava dele pra coisa alguma, mal sabiam o seu nome, ninguém o cumprimentava pelo trabalho fúnebre, até lhe parecia que ninguém se importava com a morte comportada, a da falência dos órgãos, do câncer invasivo, do infarto do miocárdio, do acidente vascular cerebral. Morte que dava reportagem era a passional, às vezes o suicídio, a vingança, o assalto, mas isso não ia pro necrológio, era matéria pra jornalista.

Não era jornalista, mas queria ser e fazia de conta que era; não era repórter, mas queria ser e fazia de conta que era; não era revisor, não era chefe de pauta ou redação, não era editor, não era fotógrafo, mas queria ser e fazia de conta que era pra quem não conhecia a dinâmica de um jornal. Não era nada enfim. Mas queria ser, ter importância, mas importância ele até que tinha alguma e isso explicava tudo: era afilhado do "home" dono do jornal e isso era muito mais que ser doutor em física quântica. Insignificante mas intocável!

O problema é que ser jornalista sempre foi perigoso e, em regime de ditadura, é praticamente condenação à morte. Nada lhe parecia tão fantástico do que viver continuamente sob risco e censura. Devia ser a mesma coisa que se equilibrar em corda bamba sobre o abismo. Quanto maior o perigo, mais empolgante era ser jornalista e ele morria de inveja. Ser jornalista era ser pessoa de importância, de peso, gente indispensável em qualquer regime político, gente heroica que desafiava o arbítrio até com a omissão. Todo mundo sabia, até ele, o que significava *Os Lusíadas*, publicado verso por verso em lugar dos fatos tenebrosos em que o país se debatia desde

1964. Todo mundo sabia, até ele, que Camões em lugar do fato significava outro ato criminoso da barbárie instituída contra a democracia e a pátria. Até se dizia que a imprensa no Brasil era o quarto poder e ele acreditava piamente mesmo com a imprensa calada sob tortura. Ser jornalista era ser pessoa de coragem, quase um herói e heróis não são insignificantes, são lembrados sempre, especialmente mortos. Ele não queria ter uma importanciazinha qualquer, queria ter muita importância e fazer diferença. Ele queria deixar de ser insignificante.

Quando afinal o redator-chefe dava por fechada a edição do dia seguinte, quase meia-noite, os jornalistas invariavelmente iam para os cafés trocar ideias e conversar. Depois de esperar sete horas sentado feito múmia ele ia junto, mesmo incomodando. Sentava-se às mesas sem ser convidado, nem precisava, era afilhado do "home" e ouvia quase sem respirar os comentários sobre as últimas ocorrências: fulano foi preso entrevistando sicrano que também foi preso; beltrano saiu da cadeia diretamente para a UTI; a equipe inteira de política do jornal X foi presa em plena redação ontem às 18h quando estavam quase fechando a edição, estão no DOPS, já se soube que o editor de política e também o de economia foram pro pau de arara; que a menina da editoria internacional sumiu; que o chefe da redação do jornal Y morreu de mal súbito antes mesmo das porradas e do interrogatório; que a estagiária gostosa não era estagiária mas era gostosa e também agente infiltrada pra descobrir as pautas encobertas e revelar os responsáveis; que o fotógrafo de polícia delatou o colunista social direitista e cagão que lhe tinha seduzido a mulher quando eram jovens; que o chefe da fotografia queimou os negativos da passeata dos operários e estudantes; que o censor de farda verde-oliva e coturno instalado em lugar de honra na redação exigiu do redator-chefe explicações sobre a tonelada de receitas de bolo em todas as páginas do jornal, que ele se fez de desentendido, de mané, e então foi todo mundo enquadrado na Lei de Segurança Nacional etc.

Quanto mais terríveis e preocupantes eram os comentários, mais ele sonhava e se via também preso, torturado, supliciado, desaparecido. Via-se importante, de peso, necessário, insubstituível, mártir, herói. Pra isso ele precisava deixar de ser insignificante, virar jornalista ou então ser alcaguetado, tudo muito perigoso. Até já se sabia que o governo militar instalara uma escola de tortura no Rio de Janeiro, que os americanos tinham ensinado à repressão, agora PhD, mais de 3 mil formas de tortura. Se ele fosse preso, seria solto logo, tinha certeza, não era comunista, nem estudante, nem operário, não tinha desacatado a ditadura, não fez parte de nenhuma conspiração, nunca foi subversivo, tinha ficha limpa, isto é, não era de nada. Mas, se ele fosse preso, seria assunto para muitas noites e muitos dias nas conversas sussurradas dentro e fora das redações, nos cafés, nas fábricas e até nas ruas. Se tivesse sorte, podia até vir a substituir Camões em espaços extensos, de importância política e social, podia até ter sua fotografia publicada, até podiam lhe atribuir ideologia, dizer que sua liderança ameaçava a estabilidade do regime. Se tivesse mais sorte ainda, podia até ser torturado, nada muito agressivo, um machucadinho, uma dorzinha suficiente para virar herói e defensor da pátria. Isso ele topava. Era o que ele queria, não havia necessidade de ser confrontado com uma jiboia na cela ou com uma colônia inteira de ratos e baratas ou levar choque nas partes íntimas. Bastava um olho roxo, o lábio cortado e alguns hematomas e arranhões daqui e dali, quanto mais melhor. Quanto mais safanõezinhos bem dados, mais importante ele seria. Era até possível que divulgassem a tortura em primeira página, bem debaixo do nariz do censor de farda verde-oliva e coturno, e o jornal saísse às ruas e fosse apreendido nas bancas durante a madrugada. Seria glorioso! Até a repressão reconheceria sua importância! Deixaria de ser insignificante. Definitivamente! Ia ser respeitado no jornal para sempre, ia ser o sujeito da vez nas conversas de bar. Quem sabe todo mundo esquecesse que ele era afilhado do dono e acabasse virando jornalista de verdade?

A questão é que não dava para deixar de ser insignificante assim de uma hora pra outra. Também não dava pra virar jornalista e muito menos jornalista de importância da noite para o dia. Mesmo apadrinhado. Era mais fácil ser alcaguetado. Então, inteligente pra burro, ligou para o DOPS do jornal mesmo, da sua mesa no fundo da redação, ninguém ia ver nem ouvir e, sem papas na língua, narrou o que sabia a respeito de fulano de tal, ele mesmo, chefe de aparelho, comunista stalinista, estrategista de luta urbana com passado recente na guerrilha etc. Fez esse telefonema várias vezes e por vários dias sempre ali mesmo de sua mesa no fundo da redação. Semanas se passavam e nada! Ele até que andava pelo centro pra cima e pra baixo, indo e vindo daqui e dali para que muita gente o visse e testemunhasse a violência, a arbitrariedade que, claro!, mais cedo ou mais tarde, iria acontecer, ele até ia gritar a plenos pulmões pra todo mundo ouvir que ele, fulano de tal, jornalista do jornal Z, estava sendo preso por causa da pátria, "ouviram do Ipiranga às margens plácidas, gigante pela própria natureza és tu Brasil pátria amada Brasil", não estava bem certo se era isso mesmo, mas saber o hino nacional era o de menos porque, com certeza, todos na rua cantariam com ele durante a prisão, era um herói! Mas nada! Nada mesmo! Não percebia ninguém na sua cola, ninguém seguindo seus passos, investigando sua vida, ninguém nem na redação nem na vizinhança havia feito perguntas sobre ele, ninguém o olhava diferente. O que estaria acontecendo?

Esperou, esperou, mais uma semana, mais duas, roeu as unhas de todos os dedos e andava bem incomodado com a escova de dente nova e o creme dental ainda na caixa fazendo volume no bolso. O que estaria acontecendo, porra?! Então ligou de novo, soltando fogo pelas ventas, indignadíssimo!, agora exigindo falar com o delegado e pedindo satisfação por, afinal, mesmo no anonimato, estar se arriscando na delação de um elemento tão perigoso para a ordem nacional. Sabia que o dito cujo continuava armando contra o governo militar, até já planejara assassinar o general presidente, não deu certo porque a segurança tinha sido redobrada pelas Forças Armadas, já montara esquema para libertar este e aquele, sequestrar aquele americano de merda, explodir a Oban e, mesmo assim, não era preso, continuava solto belo e lampeiro?! Quem da repressão o atendeu, em tom cansado mas zombeteiro, passou o telefone para outro que lhe disse alguma coisa com violência e fúria e bateu o telefone na cara dele.

Os dias se passaram e ele cada vez mais acabrunhado, mal fazendo o necrológio, por que as pessoas precisavam morrer tanto? Ele precisava ficar em casa quietinho, dormindo, dormindo, enchendo a cara, brigando com o cachorro e o papagaio, os únicos que sabiam que ele era jornalista, que não se importavam dele ser afilhado de quem era, que sabiam inclusive que ele era comunista, ele tinha até forrado a casinha do Guevara e a gaiola do Lamarca com quilos e quilos de recortes do necrológio.

O pior veio depois. Não fez o obituário do dia, quem fez foi o cara das máquinas, aquele que sempre esteve careca de saber que as pessoas morrem todos os dias. Ele, o redator, chegou às 19h no jornal, todo mundo enlouquecido pra fechar a edição, aquela fervura! Assim que ele entrou na redação, reconheceu sua voz em alto e bom som. O que estava acontecendo?! Os alto-falantes postados em cada canto estavam ligados no último volume e as centenas de máquinas de escrever silenciaram quase ao mesmo tempo: "Alô! Quero falar com o delegado! Pode falar! O senhor é o delegado? Não, é só com ele? É, é só com ele! O senhor outra vez? O que é que o senhor quer? Como, o que eu quero? O senhor sabe muito bem! Tô correndo risco, toda hora contando pro senhor o que fulano de tal vem fazendo contra o regime e nada do senhor prender o comunista! Que é que o senhor está esperando? Que ele mande o DOPS pelos ares com o senhor e toda a sua equipe dentro? Vamos fazer uma coisa, senhor. Como é mesmo o seu nome? Ah! É verdade, a denúncia é anônima, tá certo, cidadão, mas não se preocupe, essa pessoa que o senhor disse que é perigosa não é, viu? É um bunda-mole, é capaz de borrar as calças por qualquer coisa. O homem é só um coitado, um zé-ninguém. A gente não tem motivo pra prender ele, ele não existe, é um manezinho sem importância. Agora se o senhor continuar enchendo o saco da polícia, a gente vai ter motivo pra encher sua cara de porrada! O senhor faça o favor de não incomodar mais a delegacia, caralho! Estamos por aqui do senhor, seu filho da puta! Pensa que a gente tá aqui só pra ouvir merda?! A gente tem muito pra fazer, a cidade tá infestada de subversivo, de comunista trotskista, maoísta, prestista, janguista, brizolista, a gente não vence prender tanta gente e esse cagão entreguista é só afilhado de quem mesmo?, de quem? de quem, porra?!".

Nunca mais voltou ao jornal. Mesmo assim, o necrológio continuou a sair religiosamente todos os dias. Nem pra isso eles precisavam dele. O interessante é que as pessoas morriam todos os dias e todos os dias estavam lá no jornal. Religiosamente! Agora, ele, morto em vida, não! Estava como sempre esteve: relegado à insignificância, porra! Não passava de um mané, saco! Assim mesmo, com minúscula!

Pro Guevara, o vira-lata, e pro Lamarca, o louro, não fazia a menor diferença.

A Civilidade

Não sabia se a malária era doença só dos homens e até havia se recusado ao compromisso com a Organização Mundial de Saúde porque parecia improvável que houvesse malária em outras espécies animais. Tinha pressa em cuidar da doença entre os homens, especialmente alastradora em várias formas no Nordeste brasileiro.

Mudou de ideia quando o horto florestal da Cantareira, em São Paulo, lhe encaminhou para doação, estudo e até tratamento um macaco tristonho. Então, por mero acaso, descobriu que a tristeza do bicho era malária. Estava descoberta a malária simiana, exatamente aquela que a Organização Mundial de Saúde desejava conhecer como prevenção às doenças endêmicas no continente africano.

Foram necessários três anos de muita pesquisa e dificuldades para descobrir que, tal qual nos humanos, era um mosquito que transmitia a doença. Que mosquito, não sabia. Descobriu, nove anos depois de muito estudo e com a ajuda de equipes regionais, que a malária de macaco existia em todo o território nacional e o mosquito que a transmitia era o *Anopheles cruzii*.

Não sabia se os humanos estavam livres de serem infectados. Então produziu um medicamento preventivo e foi ao horto florestal da Cantareira que, à época, era uma reserva que abrigava milhares de macacos a apenas 25 quilômetros da Universidade de São Paulo. Ficou sabendo que a pessoa que tinha contato com os macacos era o guarda florestal que já era velho, tinha nascido lá, nunca tinha saído do horto, era analfabeto e nunca tivera doença alguma.

Conversa vai, conversa vem, mais desconfiado que convencido, o guarda perguntou ao cientista se ele também ia tomar o preventivo.

Diante da resposta negativa, porque afinal não era o cientista que lidava com os macacos, pensou, pensou e depois disse que também não ia tomar. É que se o homem tinha descoberto a doença e ainda tinha produzido o preventivo, então o melhor era não tomar porque se um dos dois no trato dos macacos pegasse a doença se saberia que a malária dos macacos infectaria os humanos. Além disso, só o cientista tinha conhecimento para curar quem adoecesse. Então, melhor nenhum dos dois tomar. A lógica era perfeita.

Algum tempo depois, o biólogo, que também era médico, foi chamado para ver o guarda florestal, tristonho, tristonho, tal qual o macaco que o horto lhe enviara. Havia contraído a doença. Não quis ser tratado. Se ele o tratasse, não ficaria sabendo como era a malária dos macacos nos humanos. O homem só queria que ele o acompanhasse na evolução da doença. Se estivesse em risco de vida, então estava autorizado a tratá-lo. Não precisou. Depois de três sofridos acessos, o guarda florestal estava curado. Espontaneamente.

Analfabeto, mas sábio. Sabia perfeitamente o quanto era difícil o cuidado para com a vida, a civilidade, mas não hesitou em entregar-se ao sofrimento pessoal, convicto de que resultaria em conhecimento e melhoria da saúde de todos, inclusive dos macacos, seus amigos de todos os dias.

Sabedoria, altruísmo e coragem foi o que o velho guarda florestal ensinou ao parasitologista Leônidas Deane. Muito mais do que a ciência e a erudição podem ensinar à humanidade. Também ensinou que malária de macaco infecta os humanos e que a cura se dá espontaneamente. Era só cuidar dos macacos e prevenir a doença nos homens.

Os resultados de tanto estudo e de tanto altruísmo e coragem foram publicados em revistas de ciência fora do Brasil e em inglês. O velho guarda florestal analfabeto, mas sábio, fez da filha uma cientista social ativa e foi ela quem traduziu para o português o artigo científico em que constava seu nome e o que passou com a doença. Sua disponibilidade para com o outro, a saúde e a construção do saber lhe dava uma função social inesperada. Tinha razão em andar com a cópia do artigo na carteira. E em dois idiomas! Merecia!

Tempos depois, o médico e sua mulher, ambos cientistas, partiram para o exílio em Portugal. Não se dispunham a defender apenas a saúde humana e animal. Defendiam também a democracia e as liberdades. Coragem, altruísmo e sabedoria também não lhes faltavam. Entendiam de civilidade.

As Feras

Amava mais os animais do que as pessoas: eram o que eram, não tinham nenhuma maldade porque essa era privilégio da humanidade. Ainda não era veterinária nem zoóloga, mas queria ser, ia ser. Queria estudar as espécies animais em extinção, trabalhar para preservá-las em algum santuário ecológico se até lá sobrasse algum em território brasileiro, recolher os animaizinhos abandonados nas ruas, diminuir seu sofrimento, curar suas dores, dar-lhes uma família. Não se conformava com a paixão indomável dos homens em destruir a si mesmos, aos animais e à natureza de modo geral. Nenhum animal, por mais feroz que fosse, era mais cruel que o homem. De todos, o predador mais implacável, o único realmente sórdido, o único realmente besta, realmente fera era o homem. Não tinha qualquer dúvida.

Tinha dezessete anos, estava no último ano do curso clássico e sabia muito sobre as civilizações. Tinha estudado história mais do que as outras matérias do vestibular, apaixonada pelo curso dos acontecimentos e entristecia-se sempre que pensava que civilizações inteiras foram construídas e dizimadas pela crueldade com que os humanos trataram os seus iguais. Queria um mundo mais generoso e mais justo. À época, nem sabia bem o que era comunismo. Só achava que talvez fosse bem melhor do que o jugo e a tirania. Também não se lembrava de como passou a ajudar com a panfletagem de rua os universitários que se diziam comunistas em sua luta contra a ditadura porque eles falavam muito em justiça, liberdade e igualdade. Era isso que ela queria pra todo mundo.

Foi presa quando saía do abrigo para animais abandonados onde fazia trabalho voluntário. Ninguém falou com ela, ninguém lhe perguntou ao menos seu nome e foi jogada nua aos safanões e sem os óculos de que precisava tanto num lugar escuro, frio, úmido, sem janela e cheio de baratas. Ficou lá durante três dias inteiros, sem água nem comida, sem saber por que estava lá e sem falar com ninguém. O silêncio era total. A escuridão também. Soube depois, porque o frequentou muitas vezes, que aquele lugar era uma solitária.

Deram-lhe arroz e feijão já de muitos dias em prato sujo e meio copo d'água. Estava aterrorizada e pedia pra ir pra casa, não tinha nada para contar, mas ninguém se apiedou dela. Queriam nomes, lugares de reunião, estratégias, endereços. Ela não sabia. Pegava os panfletos sempre ali em frente ao abrigo e quem os entregava nunca era a mesma pessoa. Então, não sabia quem eram os estudantes, nem falava com eles, só pegava os panfletos, mais nada, tudo muito rápido.

Bem antes do pau de arara, vários torturadores meteram a mão em suas partes íntimas, disseram-lhe obscenidades, se esfregaram nela, fizeram gestos obscenos, se masturbaram, zombaram do seu corpo gordinho, morderam seus seios e a estupraram por mais de uma semana, ela que ainda era virgem. Usavam jatos d'água gelada para limpá-la do sangue, da urina e das fezes, estupravam-na outras vezes e a jogavam de novo na solitária. Ela resistia porque não sabia mesmo nada do que queriam saber. Mesmo que soubesse achava que não diria.

Os torturadores não acreditaram que ela não soubesse, então fizeram o impensável até mesmo para *experts* em escola de tortura: levaram-na para uma solitária já ocupada. Ela não adorava os animais?! Pois então! Vai adorar fazer companhia para um jacaré menino, apenas um metro de comprimento e faminto de dar dó!

Quando a menina viu o jacaré raivoso e maltratado na solitária tão pequena, implorou para que não a deixassem ali, mas não!, o objetivo era esse mesmo, aterrorizá-la, mostrar-lhe que os animais existem para serem usados, consumidos, violentados e esse estava ali para convencê-la a falar o que sabia. Se fosse morta, pouco importava, um subversivo a menos! Gritou, gritou, gritou, mas não lhe restou senão esperar pela atrocidade. Ficou de pé muitas horas no canto da solitária, tremendo muito, enxergando pouco e com medo que o jacaré a atacasse. E se a atacasse, como se defenderia, como se defender de um animal selvagem, faminto, fora do seu *habitat* natural e confinado em menos de quatro metros quadrados imersos na escuridão, no frio e na aridez do concreto? Não tinha a menor chance. Ia ser devorada! Era o que os torturadores também pensavam. Quando abriram a solitária, a surpresa foi mesmo inacreditável! Num canto, a menina soluçante exausta de tanto gritar e chorar e, no outro, o jacaré antes enfurecido agora inexplicavelmente calmo.

Tirar a menina da solitária foi fácil, mas tirar o jacaré! Foi rabada pra todo lado, aquele animal viscoso e violento reagindo com aqueles dentões à mostra, aqueles homões aterrorizados já prontos para abatê-lo a tiros! Mas enfim, a menina foi de novo pro pau de arara e o bicho voltou para o tanque onde já estavam outros quatro jacarés trazidos do Pantanal pela repressão, no caso, um coronel de identidade e nome bem conhecidos até nos países fronteiriços também sob o tacão da tirania. Em 2012, ele diria à Comissão da Verdade não se arrepender de nada e que, se pudesse voltar no tempo, faria tudo de novo e exatamente igual!

Não usaram mais o jacaré para aterrorizá-la, mas nas duas últimas vezes que a levaram para a solitária, lhe deram por companhia, primeiro, dois pastores alemães e depois dois pitbulls treinados para abocanharem gente e até matar. Ficou com muito medo. Estava sem óculos, enxergava mal e isso lhe aumentava o terror, tantas baratas ali dentro!

Os cachorros lhe lamberam as feridas, o sangue, a boca, os olhos, as orelhas. Não lhe fizeram mal. Ao contrário, amenizaram-lhe o frio do lugar, deitaram-se com ela no chão cheio de merda, sangue e urina, fizeram-se de agasalho e até brincaram um com o outro e os dois com ela.

Conclusão da tortura: não adiantava usar animais para aterrorizá-la. Ela era imune a bicho. Alguma coisa acontecia que eles não lhe faziam nenhum mal. Do mesmo modo que ela ficou encolhida e estática no canto da solitária, o jacaré também ficou estático no outro canto! E os cachorros, aquelas feras, gostaram dela! Só lhe fizeram bem! Isso não tinha sido sequer imaginado nem pelo Fleury mais cruel, aquele que tornou a repressão brasileira conhecida até no estrangeiro! Quando abriram a solitária, tanto os pitbulls quanto os pastores alemães estavam muito alegres, saltando, abanando os rabos, fazendo festa e enchendo-a de calorosas lambidas!

Ficou quatro meses na prisão usada e abusada, mas rezando pela companhia dos cachorros. Quando saiu tinha perdido o vestibular, o hímen, a confiança na humanidade e muitos quilos. Voltou ao abrigo para animais abandonados, intensificou seu voluntariado e passou a atuar no resgate, cuidado e adoção de pitbulls. Cinco anos depois, tornou-se médica veterinária e logo depois zoóloga. Sua tese de doutorado focou a vida e a defesa das espécies aquáticas do Pantanal do Mato Grosso do Sul. Devia muito aos cães e aos jacarés e, além disso, amava mais os animais do que as pessoas e por eles, pelos animais, daria a vida.

A hidra fardada e civil não conseguiu arrancar-lhe a alma.

A Esperança

Viu o impensável, o inimaginável. Viu o imponderável materializado em ato naquele 2 de outubro de 1968, em São Paulo. O que estava acontecendo era difícil de acreditar e ela, repórter iniciante, sem tarimba nem molejo, estava num impasse. A pauta era clara: passar na Maria Antonia e ver como andava o movimento estudantil. E era clara justamente porque sua experiência jornalística era quase nenhuma, e a chance de a reportagem ser publicada também era seguramente nenhuma. Afinal, estudante, operário, índio, jornalista, miséria, greves, revoltas e intelectual rebelde não passavam pelo censor de plantão. Mas isso não a eximia da obrigação. Tinha que voltar ao jornal no final do dia e escrever, fazer o seu trabalho, mostrar serviço, mas o que viu era impossível de ser descrito. Não havia como narrar. Nem em vivo e bom som, quanto mais por escrito. Estava numa enrascada. Descobriu-se impotente. Na escrita, as palavras se mostrariam vazias, inócuas, literalmente insignificantes, aquém dos significados, se tivessem algum. Não poderiam se ajustar ao acontecido. Ditas ou transcritas, as palavras não diriam o real do fato. Não diriam o indizível, o inefável, o inaudito.

Se não tivesse visto, não acreditaria. O que estava vendo, sentindo e testemunhando não era coerente com a fragilidade, o medo e a impotência da pessoa humana diante do horror da morte. O que se via ali era um homem jovem, cheio de vida, arriscando-se a perdê-la, indefeso em meio a uma multidão enfurecida e desejosa de vingança imediatamente após o assassinato de um menino defronte ao prédio ocupado da faculdade de filosofia da USP. Era o universitário José Dirceu de Oliveira e Silva que defendia com a palavra e o próprio corpo a vida de quem, na convivência com os estudantes durante a ocupação da universidade, foi capaz do engano, da traição e do crime.

Tudo aconteceu muito rápido. As tragédias se sucediam inevitáveis e simultâneas à morte do estudante José Carlos Guimarães, baleado defronte à faculdade de filosofia pelo Comando de Caça aos Comunistas acantonado no Instituto Mackenzie do outro lado da rua. Em prédio anexo à filosofia, no mesmo quarteirão e *campus*, um agente da repressão infiltrado e indiferente à sorte das pessoas e à destruição do patrimônio pôs fogo na biblioteca da faculdade de economia. Tinha intenção de desmantelar a ocupação dos prédios da universidade em protesto de base pela democracia e contra a ditadura. O incêndio foi controlado sem vítimas fatais nem gravidade, mas outra tragédia estava se desenhando lá fora: o incendiário fora descoberto, a fúria se generalizou intensa e incontida em meio à massa de estudantes atingidos de morte e, por um fragmento de tempo, o linchamento não aconteceu.

Contrário ao instinto de preservação da própria vida, mas infenso ao impulso da paixão pela ideia que o levou ao comando da ocupação da faculdade na Maria Antonia, José Dirceu se fez de escudo para evitar o massacre e evitou: além de palavrões e palavras hostis de raiva e desespero incontidos não houve nenhuma agressão ao incendiário. A revolta e o desejo de vingança foram vencidos pela força do líder e o traidor, suando em bicas, abandonou o lugar na velocidade da luz. Ninguém impediu.

Como José Dirceu conseguiu controlar a multidão enfurecida e evitar a tragédia, possivelmente nem ele mesmo saberia dizer à época, muito menos agora em 2016, quarenta e oito anos depois. O fato é que aconteceu e nesse acontecimento o que se viu foi a flagrante força da liderança, a mesma que logo em seguida arrastou atrás de si centenas de estudantes pelas ruas centrais de São Paulo denunciando o crime e fazendo da camisa ensanguentada de um menino mais uma dolorosa bandeira contra a ditadura militar. Ele a empunhou com a paixão só possível no limite entre a vida e a morte e a exibiu à população correndo pelas ruas por mais de uma hora, a emoção e a dor transparentes no rosto nervoso, nas mãos crispadas, na voz convertida em clamor.

A comoção por todo o centro de São Paulo, naquele dia, também foi geral e incontida. Chuvas de papel picado caíram por onde José Dirceu e um número cada vez mais crescente de estudantes passaram denunciando a atrocidade que matou José Carlos Guimarães, dezesseis anos, estudante secundarista. O sangue derramado não ficaria encoberto nem silente. Conclamava as liberdades perdidas.

A repressão não demorou a chegar, feroz, blindada, munida com armas de alta potência e grande contingente de soldados a cavalo. Ainda assim não intimidou José Dirceu, vinte e dois anos, estudante de direito e presidente da União Estadual dos Estudantes. Sua arma era a palavra, o ideal, o desejo da liberdade, a juventude, a energia inflamada com que subia nos carros estacionados e em tudo que o elevasse para exibir a camisa ensanguentada do menino morto e denunciar o arbítrio e as perversidades da ditadura.

Ela também, repórter iniciante, não teve outra opção senão correr para escapar da repressão e, na corrida, perdeu José Dirceu e Edson Soares de vista, ambos à frente dos estudantes desde a Consolação até a Avenida São João. O texto que afinal se obrigou a escrever no final do dia, de volta ao jornal da Rua 7 de Abril, não passou sem cortes pelo copidesque, que também foi censurado e cortado daqui e dali pelo secretário da redação antes de passar ao censor militar que, por sua vez, tratou de remendá-lo daqui e dali e, depois, destinou-o entediado ao cesto de lixo.

Viu José Dirceu mais uma vez dez dias depois, quando da prisão de quase mil universitários e estudantes secundaristas de todo o Brasil reunidos em Ibiúna para o 30º Congresso da União Nacional dos Estudantes. No futuro, muitos deles deixariam legados importantes para o Brasil e o mundo em várias áreas da atividade humana desde as artes e as ciências, até a filosofia, a organização social, a política, a economia, a saúde, a educação, o desenvolvimento. A matéria que então escreveu foi diretamente para o lixo. Nem sequer chegou ao *copy*. Um repórter vinte anos mais velho fez a reportagem. Não houve necessidade de cortes. A censura tinha lugar seguro no medo e na conveniência.

Nunca mais veria José Dirceu em carne e osso. Veio a saber dele um ano depois quando ele e mais catorze presos políticos foram trocados pelo embaixador americano Charles Elbrick então sequestrado pela guerrilha urbana. A imprensa do Brasil e do exterior publicou, filmou e fotografou o que a todos pareceu intrigante. Quem eram aqueles quinze? Até mesmo para ele foi uma surpresa desconcertante. Nem podia qualificá-la. Por que ele? Eram tantos os presos de real importância para a democracia, por que ele havia sido escolhido!?

A verdade é que José Dirceu desconhecia a força real da sua liderança, mas o comando revolucionário que escolheu salvá-lo da prisão e provavelmente da morte em 1970, sabia e reconhecia nele a potência para a luta. Era uma esperança concreta. Ele colocaria em ato as liberdades e os princípios democráticos, resgataria com outros o Estado de Direito. Seria um comandante.

Quando a anistia foi promulgada em 1979, mais de dez mil brasileiros expurgados do país voltaram para a pátria, uns para novamente lutar pela democracia e o desenvolvimento da nação, outros simplesmente para morrer em terras brasileiras. José Dirceu, que já vivia clandestino no Brasil com cara e identidade falsas havia quase dez anos, recuperou a identidade e os direitos políticos e imediatamente engajou-se na luta pela redemocratização. Tornou-se promessa viva. Era um homem que se construíra para o trabalho, a justiça e a liberdade, um comandante. Muitos acreditaram.

Daí por diante a jornalista, agora de muitos anos e larga experiência, não deixou mais de segui-lo vida afora. Ele seria notícia assídua, necessária e de importância por muito tempo inclusive na imprensa internacional. Milhões acreditaram. Num futuro muito próximo seu destino seria a Presidência da República.

Foi esperança nacional.

Não vingou.

A Perda

Perdeu fragmentos de sua alma ao perder os dois contos que escrevera no dia anterior. Fez alguma coisa errada, não tinha intimidade com o computador, deletou aqueles pedaços de sua carne, desesperou-se. Saiu correndo pela estrada deserta repleta de araucárias lado a lado. Mal distinguia a rodovia, as lágrimas somando-se à chuva caudalosa esperada com ansiedade e preocupação, tanto tempo sem água, tudo seco, a natureza tão triste quanto ela, a escritora, a que não podia suportar a dor de perder suas palavras, suas lembranças, partes profundas de sua alma. Sangrava. Tanto quanto sangrou em dias jamais esquecidos quando brasileiros violaram os direitos constitucionais e usurparam as liberdades da nação. Não esqueceria.

Ia acelerada. O carro que o filho lhe dera cioso de seu conforto e segurança engolindo esperança, espaço e velocidade. Ia em busca do técnico, um menino que, em outro momento de angústia, já havia recuperado trezentas e poucas páginas do seu diário que talvez ninguém leria. Agora estava lá no *pen drive*, disponível para quem desejasse conhecer seus sentimentos e desejos agora mais próximos do fim. Confiava que David encontraria os contos perdidos. Os dois faziam parte de suas memórias de imprensa, dos sussurros que AI-5 nenhum pôde impedir, da fantasia com que os emoldurava agora, depois de quase meio século, ansiosa para que aquelas dimensões de humanidade jamais fossem esquecidas.

Não queria, não podia perder nada do que vivera, do que soubera, do que sentira, do que ousara, do que silenciara. Tudo aquilo que jamais adormecera no fundo da sua consciência tinha que ser divulgado, lido, conhecido. Seu testemunho era muito importante, tanto quanto o dos que sobreviveram às torturas e dos que tiveram que tocar a vida no exílio. Considerava-o ainda agora essencial às lutas cotidianas pela preservação e promoção permanente das liberdades e dos direitos humanos. Tinha certeza que, quanto mais pessoas se lembrassem ou soubessem dos sofrimentos da nação sob os vinte e um anos do regime militar, mais pessoas lutariam contra qualquer forma de arbítrio, fosse pessoal, familiar, profissional, coletivo, nacional ou internacional.

Agora que já estava pronta para a partida, não se sentia esgotada de lembranças, tudo lhe era muito vivo e ardia em suas noites de vigília. Não tinha tempo a perder, os dias passavam velozes, a vida clamava por insurreições que não teve coragem nem tempo de empreender na juventude, nem podia, os filhos nascendo, crescendo, sonhando, querendo viver. Precisava escrever, escrever muito e logo, já, pra ontem! O tempo é inclemente, as horas agora eram ainda mais preciosas e exigiam trabalho, urgência e lembrança. Precisava deixar tatuadas na memória do mundo aquelas dimensões de humanidade, aqueles fragmentos de participação política, aquelas histórias de vida, honra e dignidade que pudera apreender, captar e viver no exercício do ensino superior e do jornalismo durante a ditadura militar no Brasil.

Sabia que tinha sido atrevida especialmente nas salas de aula, os estudantes pareciam gostar dela, do que ela ensinava, do que dizia e como dizia. Teve até um estudante apenas ouvinte e sem nenhuma falta às suas aulas durante dois anos nas mesmas disciplinas e em duas faculdades diferentes. Parecia gostar do que ouvia! Dois anos! Passado o primeiro ano, ele só olhando, só ouvindo, sem anotar nem perguntar nem argumentar nada, só gravando, ela teve certeza. Sua presença permanente o identificava. Era agente da repressão, um infiltrado. Estava lá a cada aula na tentativa de intimidar, coibir suas palavras, reprimir suas ideias, delatar sua utopia.

Ela não devia ensinar que criança se trata com delicadeza, que as crianças, pra se tornarem adultos saudáveis, física, intelectual, social e emocionalmente, têm que ser criadas em liberdade, saber que todas as pessoas têm direitos iguais, que ainda não tinham, mas deviam ter oportunidades iguais, que a liberdade é, de todos, o maior valor da vida, que amor não se faz com sermões e muito menos com violência, chantagem emocional, manipulação, coerção ou castigo, que amor é respeito, dignidade, abertura, aprendizagem, coragem de ser o que se é, coragem de deixar ser. Era professora, tinha que obrigatoriamente se restringir à ciência, ser cartesiana, moldar-se pela lógica e pela razão, economizar as palavras, não dar crédito às emoções, muito menos às paixões, jamais falar em liberdade, pobreza, igualdade, desigualdade, fome, analfabetismo, desnutrição, doença, miséria, identidade, direitos. Seria considerada subversiva, contra a ditadura. Eram palavras perigosas. Psicologia social era definitivamente uma ciência bastante perigosa. Psicologia da criança também, talvez até pior, porque é na infância que se estrutura a personalidade. Antes prevenir do que remediar. Prestar atenção nas palavras, nas perguntas e nas respostas nunca seria demais para quem tivesse amor à pele e ao futuro.

A nação precisava acreditar que tudo estava muito bem, que o governo fazia o melhor e todo o necessário para o povo, que nenhuma hidra genocida se instalara nos três poderes da República. Por isso, ele estava lá sem uma única falta durante aqueles longos dois anos! Se estava lá para intimidar e coibir, ele não o fez e, se fizesse, não conseguiria. Ela continuou a dizer nas aulas e, por muito mais anos, o que sabia, o que sentia e o que sonhava. Se sucumbisse à fragilidade e se acovardasse, fatalmente legitimaria a força e a política da dominação, da crueldade e do arbítrio.

Muito tempo depois, soube que o suposto estudante era "cachorro" do DOI-Codi, se infiltrava entre os universitários e trabalhava sob as ordens do delegado encarregado pelas Forças Armadas de desovar os corpos dos presos políticos mortos na tortura, o mesmo que, ela nunca soube a razão, evitara sua prisão por mais de uma vez. Tinha até detido alguns dos seus estudantes nas noites de São Paulo em pesquisa de campo orientada por ela sobre prostituição, desemprego e drogadição, mas liberou-os logo em seguida ao saber que eram seus alunos. Nenhum deles sequer soube onde ficava o DOPS. Foram liberados pra voltar pra casa e parar com aquela bobagem de pesquisa. Sociologia, psicologia, antropologia e tudo quanto tratasse de direitos humanos não era tolerado pela ditadura. A hidra repudiava a ciência e também a arte. Que se cuidassem! A professora também!

Chorou, chorou muito ao perder os dois contos, nem sabia que ainda tinha tanta lágrima para chorar, tanto sangue para verter por causa da ditadura, por causa do que vivera, soubera, ousara, sentira, silenciara, quase cinquenta anos antes. Teve saudades do seu tempo de jornalismo em São Paulo, das pessoas que entrevistara e que depois foram presas, torturadas. Muitas tinham desaparecido e nunca mais se soube delas, à exceção de um estudante preso em Ibiúna na queda do último congresso da UNE e que descobriu outro dia de terno e gravata no Congresso Nacional. Continuava servindo à nação. Ela não sabia se bem ou se mal, se nem uma coisa nem outra. Era engenheiro, tinha sido prefeito em sua cidade natal por duas gestões e agora era deputado federal por Minas Gerais. Das outras pessoas desaparecidas, nunca soube se sobreviveram.

Não podia perder com os contos dimensões profundas de sua alma e dos tempos vividos. Descobriu na angústia pelo técnico trabalhando no computador tentando recuperá-los que não se tratava apenas de lembranças, que não era só uma demanda importante, histórica ou literária ou as duas coisas. Descobriu que amava com amor apaixonado cada um daqueles personagens dos seus contos. Eram pessoas, tinham lutado sem esmorecimento pelas liberdades, tinham vivido e sofrido tudo quanto ela narrava. Sangraram, tiveram medo, mas não se acovardaram. Eram reais.

Não sabia desse amor até aquele momento da perda dos dois contos. Sabia que tinha amado uma ou outra daquelas pessoas, mas nunca havia percebido que amava cada uma e todas elas. Pensava que as admirava, que as respeitava, que as queria vivas na memória brasileira. Agora sabia que as amava tanto, mas tanto, que podia sim suportar a perda dos dois contos e que podia, por isso mesmo, reescrevê-los ainda melhor. Se David não os recuperasse, não choraria mais. O desespero não existia mais, tinha se esvaído com as suas águas e as águas da chuva. O trabalho, a memória e a alma, a sua e a de todos os seus personagens estariam lá. Na ponta dos dedos sobre o teclado.

A coroa de Cristo

Nasceu Mariano Salvattore dos Santos e foi mariano por quase toda a vida dentro e fora da igreja. A família inteira era católica apostólica romana e beata. Família grande, dezessete filhos de Maria e de José, ela Maria do Socorro, ele José Maria. Pai, mãe e filhos, todos marianos. Conheciam as duzentas Virgens Marias do Vêneto, sabiam como se vestiam, quais eram seus paramentos, que milagres fizeram, faziam e quem protegiam. Adoravam a Mãe Santíssima sobre todas as coisas. Também adoravam Deus sobre todas as coisas.

Além de marianos, eram filhos, netos, bisnetos e tataranetos de italianos vindos pro Brasil durante a imigração de 1878. Todos levavam ao pescoço uma fita azul ostentando uma medalha de prata com a imagem do Filho de Deus, de um lado; e da Mãe de Deus, do outro. Era assim que se reconheciam em qualquer parte do mundo. Consagravam a vida à Virgem Maria, certos de que os sacrifícios a que se obrigavam renunciando aos prazeres terrenos lhes asseguravam a salvação eterna por intervenção divina, líquida e certa de Nossa Senhora dos Aflitos logo após a *maledetta finale*. Afinal, eram fiéis e marianos convictos. Mereciam o paraíso. Alguns, mais cultos e viajados, queriam saber mais sobre a Virgem e então estudaram mariologia durante muito tempo. Encontraram Virgens Marias chinesas, africanas e até aborígenes. Descobriram que a mariologia era ciência. Só faltava ser reconhecida pelos infiéis.

Mariano não se cansava de contar suas origens religiosas pra Deus e o mundo. Onde estivesse falava de Maria. Gostava de ver a surpresa das pessoas quando lhes falava dos primos mariologistas e das Virgens índias ou asiáticas. Ninguém sabia que religião também era ciência. Achava que não havia quem não o invejasse. Seu lugar no céu estava garantido. Tinha nascido pra ser santo.

A devoção não o salvou da repressão e ele, coitado, não tinha nada a ver com o que acontecia no país. Não teria que prestar contas a Deus. Não por isso. Não era estudante nem operário, não vivia nas ruas fazendo desordem contra o governo, pra dizer a verdade nem sabia que o presidente era soldado cheio de medalhas, não conhecia nenhum padre subversivo, nenhuma freira comunista, todo mundo que conhecia era temente a Deus, os que não eram já tinham destino certo nas crateras do inferno. Também não sabia da tal Teologia da Libertação. Libertação de que?

Foi preso quando saía da última missa daquele dia na Igreja de Nossa Senhora da Penha, o rosário e o livro de São Mateus bem apertados contra o peito que ele não podia perder de jeito nenhum os caminhos para a salvação. Com eles podia tentar converter os ímpios e até salvá-los da ira de Deus e da inclemência do diabo. Percebeu logo que havia um tumulto na avenida e que tinha muita gente correndo da cavalaria do Exército. Ficou estático nas escadas da igreja e não se lembra de como foi carregado no lombo de um cavalo para um lugar desconhecido e sombrio, com muita sujeira e fedor e muito choro e grito por todos os lados. Parecia que estava no purgatório pagando culpas que nem sabia quais nem quantas eram.

Não tinha a menor ideia do porquê de estar ali no DOI-Codi. Nem sabia o que era o DOI-Codi. Soube depois quando foi enfiado aos socos e pontapés numa cela pequena junto com vinte e cinco estudantes e alguns operários que faziam protestos nas ruas do bairro comandados por Luiz Travassos, Vladimir Palmeira, Edson Soares e José Dirceu. Não sabia quem eram essas pessoas. Nunca tinha ouvido falar. Só agora naquele lugar horrível ficou sabendo que eles eram de uma tal UNE e que lutavam pelas liberdades no Brasil.

Nem sabia que o povo tinha perdido as liberdades, também não sabia que tinha mais de uma, sempre pensou que liberdade era uma só. Ou se tinha ou não se tinha. Tinha estudado no curso primário que a princesa Isabel, também devota de Maria, tinha abolido a escravidão. Agora, não atinava por que, ficou sabendo que as Forças Armadas tiraram a liberdade dos brasileiros. Se isso era verdade, e parecia que era, aquela gente presa tinha mesmo razão de estar ali na avenida protestando contra o governo. O povo todo tinha virado escravo? E a assinatura da princesa não valia mais nada?

Lembrou que Jesus também tinha se enfurecido no mercado por causa dos maus-tratos dos poderosos contra os humildes e até se deixou sacrificar pelos pobres, os doentes, as crianças e os trabalhadores da época. O Filho de Deus também tinha sido preso, torturado durante toda a *via crucis* e crucificado entre dois ladrões, o bom e o mau! Gozado! Nunca tinha pensado nisso: tinha ladrão bom?! Quem sabe ele, mariano congregado e temente a Deus desde que nasceu em família santificada pela devoção e as penitências, tenha sido preso sem nada a ver com nada justamente para lutar pelos humildes e desgarrados?

Ali em Penha de França, a pobreza era muito grande, tinha muito pecador, muito assalto, muita violência, gente cheia de pecados, devassos cheios de luxúria e falta de vergonha. Deus não gostava dos pecados, mas amava os pecadores! Era uma verdade totalmente verdadeira! Quem sabe ele agora tinha uma missão fora da igreja e da congregação? Mas qual seria? Não tinha a mínima ideia!

Sentou-se apertado com outro preso no fundo da cela. Nem tinha lugar pra todo mundo. Olhou pro menino e o coração aquietou-se. Não estava correndo perigo. Nenhum deles estava. Ele tinha fé! Nossa Senhora estava com ele, ia ajudar! Não sabia qual das duzentas Marias, mas isso não tinha a menor importância. Elas estariam todas com ele. Ia se salvar! Afinal, chamava-se Mariano e era mariano, foi até marianinho, todo mundo na família foi. Merecia o perdão divino não sabia pelo que, mas merecia, ó se merecia! Aquela meninada presa ia de carona no merecimento dele. A Virgem não deixaria de protegê-los também.

Adorava a igreja desde menino. Até foi coroinha, ajudava na missa com o incensório jogando fumaça de arruda da esquerda para a direita e da direita para a esquerda, pra cima, pra baixo. Adorava fazer isso, de se exibir pros outros meninos vestidinho de padre com bata de renda e bordados por cima! Era tão gostoso, tão divertido! O serviço sagrado não parava aí, ele também tirava o pó dos altares todos os dias! Os santos ficavam limpinhos de dar gosto! Outra coisa que fazia todos os dias era servir o vinho pro padre no almoço e no jantar. Era tinto, de uva *carménère* e importado do Chile, o mesmo que o santo homem tomava quando rezava a missa. Então não tinha certeza se era sangue de uva ou sangue de Cristo.

Aprendeu a temer a Deus com os pais. Então, desde pequeno, sua vida tinha sido rigorosamente cristã. Respeitava os mandamentos da lei de Deus e fazia penitência todos os dias. Não era guloso nem soberbo, não invejava ninguém, casou virgem, tinha transado duas ou três dezenas de vezes só pra fazer suas filhas Marias e filhas de Maria, nunca perdeu a calma nem ficou irado no trânsito, nas filas de tudo e qualquer coisa, nos serviços de saúde, no INSS ou com a Receita Federal, a inflação e os juros bancários. Também não perdeu a cabeça com a falta d'água, o desemprego, a mulher, o chefe, a sogra, o Palmeiras, os cobradores, o vizinho da esquerda, o vizinho da direita, o cachorro, os políticos só mamando na Viúva.

Nunca foi preguiçoso nem teve ambição de grandeza ou de riqueza. Era humilde, nunca teve o rei na barriga, não precisou mais que o salário mínimo para viver mal muito bem. Aceitava o que Deus e a Virgem lhe davam: era um pecador, tinha que rezar muito, pagar muita penitência e até se flagelar se o pecado fosse inconfessável mesmo no confessionário. Ser mariano era uma bênção concedida pela Virgem Santíssima, não podia render-se às tentações. Sempre cumpriu os dez mandamentos e sabia de cor todas as tábuas. Com ele os sete pecados capitais e todos os outros não tinham vez nem lugar.

Os dias se passaram, a fome e o frio judiando muito dos presos, todos sem roupa, até ele, de pentelhos grisalhos quase todos brancos, dava dó só de olhar, aquela falta de energia toda! Não entendia por que tinham que ficar nus daquele jeito, era inverno, estavam tremendo! As moças também estavam peladas lá dentro. Choravam muito, as coitadas! Ele as olhava com o canto do olho e não compreendia. O que estavam fazendo lá? Se ali tinha moças, também tinha pecado, tinha tentação, tinha provação! O que é que Deus desejava? Será que estava testando a pureza de cada um daqueles meninos, daquele bando de inocentes? Será que o Pai onividente, onipotente e onipresente ficava espiando e lendo os pensamentos de todo mundo? Se ficava, ele, pecador, tinha que rezar muito, pelo menos umas duzentas ave-marias, uma pra cada Virgem Maria do Vêneto. Não podia se esquecer das Virgens Marias da África, da China e das tribos aborígenes! Tinha que rezar muito mais do que duzentas ave-marias! Era pouco. As estrangeiras também deviam gostar de ladainhas, de terços, de novenas.

Não era só expiação! Ele tinha um motivo de sofrimento a mais pra rezar e pedir ajuda: não lhe devolveram o rosário nem o livro de São Mateus! Sentia falta. Eles ajudavam a dissolver os pecados, a não espiar as moças daquele jeito cheio de vontades.

Também sentia falta de uma boa prosa, mas lá ninguém falava com os presos. Até eles falavam pouco uns com os outros. Cochichavam, não conversavam. Eram universitários, tinham assunto, sabiam muitas coisas, deviam gostar de trocar ideias, de conversar, era normal nessa idade. Por que viviam aos cochichos?

Volta e meia abriam as celas e levavam algumas pessoas que armavam o maior fuzuê, todo mundo gritando, esperneando, suplicando, chorando. Ninguém queria ir, ele nunca foi, não sabia pra onde. Só ouvia gritos horrendos, alguns voltavam bem machucados, até as moças, por que não sabia, mas começou a desconfiar. Muitos não voltavam, mas decerto estavam numa cela melhor com menos gente ou já estavam em casa, graças a Deus! Decerto tinham sido presos por engano. Melhor não pensar no pior.

Melhor não pensar em nada e rezarem todos juntos e em voz bem alta cinquenta pais-nossos, trinta credos e cem ave-marias! Que triste!... Ninguém quis rezar!... Pelo visto, não precisavam da Mãe Santíssima. Talvez achassem que não ia adiantar nada incomodar Nossa Senhora do Perpétuo Socorro. Muitos precisavam mais dela do que ele. Eram inocentes. Só se importavam com a liberdade e os direitos de todo o mundo. Se estavam com a justiça, não tinham porque se desesperar.

Dez dias se arrastaram até aquele muito especial: devolveram-lhe as roupas, graças à Virgem Imaculada! Ficou muito contente, agradeceu rezando e abençoando os carcereiros. Agora não precisava mais ficar tapando as vergonhas com as mãos. De repente, ele soube qual era a sua missão! Ia cobrir as vergonhas das moças! Ainda bem que eram apenas três! Jeitosinhas, jeitosinhas, as danadas! Pedaços de mau caminho! Podia rasgar a camisa e o paletó e dar os trapos pra elas cobrirem os seios e o sexo. Foi o que fez. Não é que as diabas não paravam de abraçá-lo!? Era uma provação! Mas ele era mariano, haveria de se controlar, tanto tempo sem mulher e aquelas lá eram uns filezinhos mesmo sujas e machucadas! Mulher estudada como aquelas nunca tinha cruzado seu caminho. Ele não passava de um matuto, um grosseirão, só sabia ler a Bíblia e assim mesmo entendia pouco. Por isso era mariano a serviço da igreja e do pároco, um santo homem!

Foram buscá-lo naquela manhã logo ao raiar do dia. "Olha, *seo* Mariano, todo mundo aqui acha que o senhor é boa gente, que não tem mesmo nada com nada, então vamos soltar o senhor, vá pra casa, tome um bom banho, fique de bico calado e descanse! O senhor desculpe qualquer coisa, a gente nunca tinha conhecido nenhum carola tão crente e tão abençoado como o senhor! O senhor conquistou todos nós aqui. A gente tá sabendo que o senhor é o mariano mais fiel lá da paróquia da Penha, o padre deve estar bem feliz com o senhor lá. Está sempre fazendo uma coisinha ou outra, ajuda na contabilidade, fabrica as hóstias pros pecadores se aliviarem, se confessa duas vezes por semana, toma a hóstia e o corpo de Cristo todo domingo, ajuda o vigário nas missas e na caridade, colabora na organização das festas e das quermesses, está sempre de vigia pra não roubarem as esmolas, limpa a igreja todinha, até cozinha pro padre, está sempre trocando as velas e as flores, limpando os banheiros, então a gente achou que o senhor podia ter visto alguma coisa lá ou que soubesse com quem o padre conversa. O senhor não foi pras outras salas porque achamos que o senhor não tem mesmo nada pra contar, então não íamos pôr a coroa de Cristo no senhor à toa! Essa é só pra pecador e o senhor não é pecador, né?! Pode ir, *seo* Mariano! Vá com Deus! O senhor merece o paraíso! Ah! Reze por nós! A gente também é filho de Deus!"

A coroa de Cristo! Então essa bênção ele não merecia? Merecia o paraíso, mas não essa bênção!? Quem eram eles aqueles ímpios pra decidir isso?! Botassem a coroa de Cristo nele, sim! Ele não ia sair dali fácil assim! Se eles tinham a coroa de Cristo, ele a queria na sua cabeça já! Já! Imediatamente! Merecia! Precisava porque precisava da coroa de Cristo! Se eles a tinham, ele queria experimentá-la pelo menos uma vez! Não lhe negassem essa bênção! Era um mariano! Fazia penitência, tinha direito!

"Não é o que o senhor pensa, *seo* Mariano! A gente só põe a coroa de Cristo na cabeça de quem tem o que contar, de quem vive pondo o povo contra o governo! Cabeça de comunista, *seo* Mariano, cabeça de comunista! A coroa é de aço, não é de espinhos, não! Na verdade nem é uma coroa, *seo* Mariano, é um capacete de aço com pregos no interior, a gente encaixa bem encaixado na cabeça do filho da puta, liga na tomada e ele faz o que tem que fazer. A gente apelidou de coroa de Cristo só pra tirar um sarro desses comunistas que não acreditam na existência de Deus e não respeitam nem a Virgem Maria nem Nosso Senhor Jesus Cristo. A gente põe ela na cabeça do vagabundo, bota pra funcionar e ela vai apertando, apertando até começar a esmagar o cocoruto do infeliz. Se ele contar o que queremos saber, sorte dele! Se não, azar! Vai queimar sem cabeça no fogo do inferno! O senhor é comunista, *seo* Mariano?! Claro que o senhor não é, a gente sabe... mas tá!. tá!... Vamos mostrar pro senhor!"

Saiu no dia seguinte. Havia envelhecido muito da noite para o dia. Levava o inferno na alma. Não imaginava que a coroa de Cristo fosse aquilo que viu arrebentando o crânio daquela moça alta e peituda. Nossa Senhora devia estar muito ocupada na noite anterior. Não ouviu o desespero daquela menina nem o dele, um congregado mariano devoto, fiel e penitente desde criancinha!

Foi direto para a igreja. Tinha muito serviço pela frente. A vida não era só rezar, rezar, rezar. Não era preguiçoso, não *tava* com raiva de ninguém nem tinha pecados a expiar. O padre, coitado, devia estar precisando dele fazia tempo! Não fez nada pra saber onde ele estava, mas tudo bem! Era idoso, devia estar ocupado com as coisas de Deus! Quem o terá ajudado a levar comida pros comunistas escondidos na casa daquela santa da dona Maria Guerreiro lá no jardim Nossa Senhora do Líbano? Quem o terá ajudado a levar o dr. João Pedro pra ajudar a Maria das Graças a parir em paz, ela que vinha sendo perseguida pela repressão desde o quinto mês? Quem será que dirigiu o Gordini do padre nas noites de pichação em São Paulo quando a madre Cristina controlava a fúria dos pichadores e grafiteiros contra não sabia quem? Quem levou o padre e aqueles dois frades estranhos àquela reunião meio esquisita que acontecia toda semana sempre em lugares diferentes, nunca com os mesmos frades, todo mundo olhando assustado pra todos os lados? Será que alguém tomou o seu lugar? Se alguém tomasse o seu lugar na terra podia querer tomar o seu lugar no céu também! Será que a Virgem Mãe ia aceitar isso? Nunca se sabe... A gente sempre acha que já viu tudo e sempre se surpreende...

Foi recebido na paróquia com festa. Quem ajudou o padre enquanto ele ficava matutando pelado na prisão não comprometeu sua salvação eterna. Seu lugar junto à Maria Santíssima e ao Filho de Deus estava garantido. Suas filhas Maria Virgínia, Maria Mariana e Maria de Jesus se revezaram pra ajudar o padre subversivo que panfletava contra a ditadura, escondia os clandestinos, paramentava de frade aqueles moços estranhos, quatro ou cinco por semana, escrevia para os jornais alternativos que veiculavam só de mão em mão e supria de alimentos, remédios, notícias e os dízimos da semana dois aparelhos urbanos em franca atividade, mas que um dia foram mandados pelos ares. Muitas pessoas foram presas, mortas e desaparecidas na operação. O velho padre também foi preso, experimentou a coroa de Cristo e não saiu vivo.

Quem saiu vivo ainda por muitos anos foi Mariano Salvattore dos Santos, o mariano. Se ganhou a salvação eterna, ninguém tem a mínima ideia. Nem ele.

A Assinatura

O coronel estava furioso. "Outra vez este festivo aqui!? Será possível que só eu enxergo que este sujeito de subversivo só tem a cara? Eta sujeito feio! Já não estão cansados de saber que a única coisa que ele faz na vida é desenhar caipira!? Vou ter mesmo que convidar o brigadeiro pra ver os rabiscos que ele fez na solitária da outra vez. Nem sei como fez aquilo só com as unhas! Só caras e caras feias! O homem nem sabe desenhar e acha que é 'artista pláaastico!' Até parece!"

Os militantes do Comando de Caça aos Comunistas mal tiveram como justificar o sequestro. O militar não queria ouvir. "A gente não tem muito o que falar não, coronel, mas que o sujeito é comunista, é! Temos certeza, coronel! Ele só desenha operário, lavrador e puta. Não desenha nada bonito, o povo acaba se identificando..."

"Não é argumento, sô! O cara nem sabe o que é comunismo, nunca se filiou a nenhum partido, não é estudado, não é militante nem de campanha religiosa por mais dízimo! Não sabe de nada, nunca ouviu falar das guerrilhas, muito menos quem são os cabeças, onde estão as bases, os aparelhos. O sujeito mal sabe falar, vai falar do regime! Claro que não! Ele não é bobo! Se a gente lhe der um lápis vai sair desenhando mal a cara de todo mundo achando que as caretas que faz é arte! Que mal há nisso? É um pobre coitado! Vou ficar gastando energia com este simplório outra vez? É demais! Ninguém aguenta mais! Agora todo mundo é comunista!? Puta que pariu! Tô cheio, sô, tô cheio!"

A fúria do coronel parecia não ter fim. "As delegacias estão cheias de comunistas! Os navios, os estádios! O governo tem até alugado casas afastadas... onde é que a gente vai pôr tanta gente e ainda por cima interrogar... interrogar... interrogar? Onde é que vamos arranjar tanta energia pra arrancar as informações? E o nosso emocional, como é que fica? A gente ganha mais por isso? Não, né? Então... Quando isso vai acabar? Soltem o homem! Não quero mais ver esse babaca aqui! Nem o nome o coitado assina! Nenhum desses desenhos idiotas que vocês aprenderam tem o nome dele! Nem ele acredita nele mesmo! O que isso quer dizer? Que até ele sabe que de artista pláaaastico ele não tem nada! É um pândego, sô! Ele não é nada! Nada! Nem porra loca ele é, quanto mais comunista! Soltem ele!"

O babaca, o pândego, o festivo que nem assinar assinava era Gontran Guanaes, o que não era estudado nem era artista pláaaastico e muito menos subversivo. Quando, anos depois, em visita a uma galeria de arte em Bruxelas, o coronel soube dele, novamente entrou em estado de fúria incontrolável. Não é que o homem era mesmo artista pláaaastico e ainda por cima subversivo e comunista?! Como é que ele não tinha visto nos desenhos o rosto de Lênin e o de Trótski em meio aos lavradores e operários?! Como é que ele não tinha visto o rosto de Rosa de Luxemburgo no meio das putas?! Como é que ele não viu o Prestes e o Marighela junto com os caipiras?! E o Lamarca?! O Comando de Caça dos Comunistas é que estava com a razão! O babaca era perigoso! Era comunista! Como é que ele não viu isso!? Como é que ele não viu isso!? Devia estar cansado daquela desgraceira toda... já não estava enxergando mais nada!

Gontran Guanaes não pintava rostos e figuras humanas pura e simplesmente. Pintava conceitos, demandas, ideias, lutas, utopias. Sua pintura, que nem mesmo os críticos sabiam como qualificar, era mais que realismo político, realismo humanista, realismo nacionalista. Não era absolutamente um simples realismo figurativista. Não pintava figurinhas que de humanas só teriam a forma. Pintava a humanidade excluída, a dor manifesta na pobreza, na crueldade dos preconceitos, no desespero das impossibilidades e das carências, na crueza do dia a dia nos campos, nas cidades e nas relações sociais.

Sentia-se parte dessa humanidade, sentia que era exatamente essa humanidade que lhe emprestava a possibilidade de fazer arte, que era ela própria a origem, a causa, a pulsão, o motivo e o alcance dessa expressão magoada que se sonhava altiva e revolucionária. Então, não assinava a maravilha que foi capaz de imaginar e partejar em murais festejados pela crítica no mundo todo e por todo o mundo. Seu nome era dispensável. Ele não era um só, era bilhões desde antes de nascer. Não podia dar o crédito a si mesmo. O que com os pincéis trouxe à luz era a saga humana, a história, a ontologia. Essa era a sua assinatura, a luta.

Tinha dezenove anos quando, pela primeira vez, sofreu um revés político por envolver-se no movimento nacionalista pela defesa do petróleo. Estava no segundo ano do curso de Artes Plásticas, mas por causa disso foi expulso da Faculdade de Belas Artes em São Paulo. Daí por diante, engajou-se em todas as lutas brasileiras pela justiça social, não parou de pintar e desenvolveu no desenho e na pintura uma crítica política poderosa em face dos dramas da existência. Tinha um longo compromisso pela vida afora em defesa da inclusão social dos homens injustiçados nas cidades e nos campos.

Sua pintura não continha enigmas. Continha desejos. Era denúncia, lição, atitude, conscientização. Foi preso duas vezes logo no início do golpe de Estado, mas não sabe por que milagre, não sofreu agressão nem tortura, mas o exílio tornou-se a única opção para continuar livre e vivo. Em Paris e por vinte anos, construiu mais de 20 mil murais revelando a tragédia das lutas camponesas e operárias, a violação aos direitos humanos e a dor de negros e índios no Brasil. Não assinou nenhuma das obras. Seu nome era dispensável.

Intrigou toda a Europa, especialmente pela contundência do drama humano e, ainda mais especialmente, pelo belo inscrito até onde por tradição estética não havia beleza. Também era intrigante a falta de assinatura àquela arte de exílio que não se vinculava ao mercado da arte burguesa. Em suas obras não havia mistérios. Havia espanto, sobressalto, lutas. Se havia perguntas, elas mesmas condensavam a resposta, a única resposta, no traço, na cor, na significação sempre explícita, na evidência. Não havia assinatura porque essa arte nascia da luta de todos os outros. Ele próprio, Gontran Guanaes, era todos os outros.

 Lá fora, em terras alheias, radicalizou ainda mais sua oposição à arte de mercado e seu ideal de arte como instrumento de luta e participação social. Realizou dezenas de exposições individuais e coletivas que denunciavam as mais diversas formas de opressão, tortura e exploração em países sob ditadura ou imperialismo das grandes potências. Não usava sua arte como ganha-pão e, porque a queria com função política, doou dezenas de painéis para salões e museus compromissados com o debate relacionado às lutas políticas contra a opressão e a perda das liberdades. Vendeu outras dezenas em benefício de exilados e presos políticos na Europa, na África e na América Latina. As obras não lhe pertenciam, pertenciam ao povo e ao povo deviam retornar como grandeza, como miséria escancarada, como desespero, como esperança, como carne do mundo.

 Quando retornou à pátria, em 1985, trabalhou em grandes murais para o metrô de São Paulo. Não mudou o que já pensava e sentia há tanto tempo. Sua arte nascia do povo e ao povo pertencia. Ali, onde milhões de pessoas passavam todos os dias, era o lugar perfeito para alojá-la. O povo compartilharia sua alma.

 Nenhuma das suas mais de 20 mil obras teve sua assinatura. Pintava a alma, a dor, as lutas, o imponderável. Nada lhe pertencia. A narrativa, o vivido, a experiência, o construído, tudo pertencia à história. Era essa a sua assinatura, a luta.

O Destino

Nunca teve nenhum problema com o seu corpo. Desde pequena, quando brincava de boneca, casinha e panelinhas, ela o sentia sagrado. Até era bonitinha quando criança, os olhos grandes e muito profundos num rosto redondo de pele muito escura e sedosa. A mãe quis alisar seu cabelo desde cedo e insistiu por muitos anos, depois desistiu. A recusa era permanente. A menininha amava o corpo que Deus lhe dera, a cor luzidia dos seus ancestrais africanos, o cabelo eriçado e volumoso, o sorriso escancarado, os dentes grandes e tão brancos que até brilhavam. Tudo nela era sagrado. Tinha nascido para amar e frutificar.

Foi assim que cresceu e se tornou mulher. Sentindo-se sagrada. Não era o que muita gente ao seu redor pensava. Ela era negra, pobre, sem importância, não fazia diferença. Só servia para servir. Ela e a mãe, também negra, pobre e sem importância, não pensavam assim. Faziam diferença. A mãe, lavadeira por mais de quarenta anos e que só servia para servir, conquistou com água, sabão, esfregão, Qboa, anil e muito suor limpando a sujeira dos outros, a chance da filha estudar e tornar-se normalista, professorinha de maternal e de jardim de infância.

Soube no Instituto de Educação Caetano de Campos, em São Paulo, o que já sabia desde as brincadeiras de escolinha debaixo da casa pobre: seria professora, seria mãe. A criança, que já lhe era uma entidade no fundo da alma, inseminou dentro dela a utopia: queria grandeza e dignidade para a criança brasileira, queria uma escola lúdica e libertadora pra todos os meninos, queria saúde física, mental, intelectual e emocional, queria arte, cultura, segurança e lazer para a infância brasileira. Na verdade, para todas as infâncias.

 Achava que essa criança em permanente celebração da vida só poderia nascer de uma cultura de liberdade presente desde a origem. Acreditava que essa cultura, esse desejo, esse sentimento teriam nascimento na relação mãe e filho fatalmente durante o período da amamentação. Acreditava que o encantamento e a ternura da mãe pelo filho recém-vindo à luz perdurariam por toda a existência de um e de outro. Ao corpo de um e de outro atribuía sagração. Estava convicta de que ao mamar a criança recebia da mãe muito além da nutrição, pressentia que o referencial de humanidade mais primitivo e determinante na vida de uma pessoa se fazia no contato corpo a corpo da mãe e seu bebê durante o aleitamento, alma e sangue alimentando sangue e alma. Desse vínculo-nascedouro de mistérios e utopias irromperiam a saúde e a grandeza de todos os outros elos ao longo da vida. Tinha certeza.

 Estava com pouco mais de dezenove anos quando se engajou nas lutas contra a tirania no Brasil. Era 1965. Nesse ano conheceu e amou o homem que a fez mulher. Seu corpo novamente lhe pareceu sagrado: tinha nascido para amar e frutificar. Cuidaria muito de si para que o filho que um dia viria a nascer tivesse do corpo materno a nutrição, a beleza, o mistério e a sagração necessários ao seu elo de humanidade com o mundo.

 Quatro anos depois, os dois que já vinham sendo procurados pela Polícia do Exército e foram presos quando ela apareceu para dar à luz num pronto-socorro de periferia. A criança nasceu, ficou dois dias com a mãe sob vigilância militar e foi entregue à avó. Do pai nunca mais se teve notícia. Estendeu a lista dos desaparecidos.

 Levaram-na aos trancos e barrancos para uma das casas da morte. Quando chegou foi obrigada a passar pelo corredor polonês incrementado de obscenidades e agressões físicas e verbais ao seu corpo combalido pelo parto difícil e a extrema crueldade dos golpes e das palavras. Era negra, pobre, horrorosa, gorda, nojenta com aquele leite fedorento jorrando das tetas, monstruosa com aquela bunda enorme, aquele bucetão, aquelas toneladas de banha, mais parecia uma porca pronta para o abate, aquele sangue escorrendo misturado à merda e urina, talvez não tivesse mesmo outro destino senão o abate. "Filha da puta nojenta! Vaca comunista! Acabou o leitinho do nenéeeem! Acabou! Acabou o leitinho do nenéeeem!"

Quando a jogaram nua, humilhada, torturada, suja e toda ensanguentada na cela lotada de mulheres em desespero não se lançou ao chão procurando algum alívio. Recusava-se a acreditar que ela, agora mãe, não fosse mais sagrada. Seu corpo, tanto quanto sua alma, tinha vindo de recônditos espirituais, tinha lugar na ancestralidade do mundo natural e humano, pertencia a Deus, ao filho recém-nascido, ao homem que amava, à mãe que lhe dera as luzes da vida e dos caminhos, à humanidade. Ela era sagrada. Dançou e rezou invocando Iemanjá, mãe e senhora de todos os caminhos.

Dias depois, ninguém soube como nem por intercessão de quem, ela foi localizada. A mãe e o filho apareceram na prisão acompanhados pela madre Cristina, aquela freira "comunista" que era bem conhecida pela repressão. Contaria com a proteção de dom Paulo Evaristo Arns daí por diante, a proteção possível. Tinha a proteção também de Nanã, a mãe guerreira. Não estava só. Deus, humanos e orixás estavam com ela.

A criança aninhou-se ao peito da mãe. Nem parecia ter sido separada dela, nem parecia que ainda não sabia o que era o seio materno. Aninhou-se, mamou com gosto e acabou dormindo com a boquinha cheia de leite, satisfeita de estar naqueles braços, naquele calor, naquela saciedade.

Ela existia para nutrir. Mais que ao filho, ela sentia-se capaz de nutrir o futuro, a história, a alma da gente. Não se deixaria vencer pela tortura, pela humilhação à sua negritude, à sua condição de mulher. Sentia-se apta a defender a que preço fosse a brasilidade, o espírito das liberdades que faltaram aos seus antepassados, as liberdades usurpadas à democracia e aos brasileiros. Sentia-se em uma batalha nacional imemorial. Estava pronta para a guerra.

Esqueceu o corpo surrado e ferido. Outra vez aninhado ao seio, o recém-nascido voltou a mamar sob o olhar enternecido das três mulheres. Não havia ali nenhum carrasco capaz de interromper o encontro entre aquelas três guerreiras e o futuro. Sorriu pensando que, desde pequenininha, quando brincava de boneca, sonhava em amamentar um, dois, três filhos. Acreditava que a mãe que amamenta não amamenta apenas o filho, amamenta também o destino. Acreditava que a sua militância contra a ditadura, o arbítrio e a crueldade também era um gesto de mãe, de mãe que nutre as almas e o destino.

Mais uma vez ela soube que era sagrada. Mesmo quando no dia seguinte o dr. Carneiro lhe aplicou na cadeira do dragão a injeção que secaria seu leite. Filho de comunista não deveria nascer! Sofreu, mas tinha a proteção de Oxum, de Nanã e de Nossa Senhora Aparecida. Nenhuma delas lhe faltaria nem ao filho.

Tinha nascido para amar e frutificar também a pátria.

A Palavra

Tinha trinta anos e mal sabia ler e escrever. Sua mulher, também de poucas letras, lhe havia ensinado o pouco que sabia, mas o que aprendeu, embora insuficiente, lhe foi o bastante para descobrir que a palavra era ainda mais poderosa que o fuzil. Com ela poderia dizer a sua palavra, a palavra dos que viviam da terra e nela sofriam a miséria da ignorância, as dores da pobreza, a exploração dos latifúndios e a indiferença dos governantes. Com ela podia transformar o agreste, salvar o sertão. A palavra seria a sua arma.

Mesmo quando ainda não conhecia a letra, a linguagem e o livro, João Pedro Teixeira já percebia com muita clareza que o sofrimento do lavrador não era querência divina nem castigo ao pecador, mas produto de decisões humanas. Queria mas não sabia como lutar. Não tinha o domínio das letras, não conhecia a força das palavras, mal sabia dizer suas dores, seus desejos. Sua luta então era pequena, homem religioso, temente a Deus e pai de muitos filhos. O que ele queria e por que lutava era mínimo, simples e trágico, apenas caixões próprios para os mortos de todos os dias, tanta a dor, a miséria, a fome de todos os dias. O que ele queria e buscava usando as palavras que sabia era apenas caixões de madeira barata, nos quais os mortos pudessem ficar até as cinzas.

Mais tarde, ao ouvir, com seus companheiros de enxada, sua mulher, Elizabeth, semianalfabeta, ler com dificuldade os jornais da capital, descobriu que não se podia lutar apenas pela morte bem descansada em caixão próprio, não alugado ou emprestado pela prefeitura. Era preciso lutar pela vida, por saúde, por comida, por ensino, por habitação, por dignidade. Era preciso lutar pelo direito à terra, de nela nascer, crescer, plantar, constituir família, aprender, participar, viver e morrer. Era preciso aprender e usar a palavra.

Foi então que, duzentos, trezentos, quatrocentos camponeses, cada dia mais numerosos, passaram a andar quilômetros e quilômetros sob sol causticante para todos os domingos ouvirem João Pedro falar e Elizabeth ler devagarinho como podia e como sabia as coisas do mundo.

Foi assim que nasceu no Brasil, em 1954, a primeira liga camponesa, reivindicando a reforma agrária, a queda do latifúndio e trabalho, saúde, habitação, escola e comida para os homens do campo. À época, havia 200 projetos de reforma agrária no Congresso Nacional. Nenhum saiu do papel. Poucos entre os políticos representantes do povo se interessavam pelos direitos dos homens do campo.

João Pedro esteve à frente das lutas durante dez anos de extrema dificuldade e com extrema coragem. Anos depois, Elizabeth foi a primeira mulher a coordenar as lutas do campesinato nordestino. Margarida Alves a sucederia. Ele pagou com a morte aos quarenta anos; ela, com a prisão, a clandestinidade, o suicídio da filha adolescente e o assassinato de dois filhos. Margarida Alves também tombaria em morte de aluguel.

De 1954 a 1962, quando a morte de encomenda supostamente silenciou sua voz, João Pedro Teixeira descobriu que a miséria, a doença, a fome, o desemprego, o analfabetismo e até mesmo as secas eram produtos de meros interesses humanos, meros, mas tão poderosos que podiam tornar os homens da terra cada dia mais pobres, cada dia mais famintos, cada dia mais áridos, cada dia mais mortos. E então não mais descansou nem silenciou. Silenciar seria legitimar a palavra da dominação e o direito dos poderosos dizerem o sentido de tudo.

Enfureceu o governo, os latifundiários, as multinacionais, os pecuaristas, as usinas de açúcar e as madeireiras, cabeças da mesma hidra originária do lodo e da escuridão que envolveram o Brasil por vinte e um anos. Seu destino estava selado até mesmo antes do golpe. Estava marcado para morrer.

Sua morte foi emblemática. Os tiros que, pelas costas, atravessaram seu coração em 2 de abril de 1962, num pôr de sol da Paraíba, estraçalharam por fatalidade e destino também as cinco cartilhas que ele, pastor protestante, nenhuma escolaridade, pai de onze crianças de pouca idade e presidente da Liga Camponesa de Sapé, levava para os filhos maiores aprenderem as primeiras letras com sua mulher semianalfabeta. Em crime pago, as cinco cartilhas encharcadas de sangue e de esperança partilharam durante todo o dia em que ele as levou sob o braço os seus muitos sonhos de liberdade e dignidade para os homens do campo. Agora ele conhecia o poder da palavra. Sabia que, mesmo que caísse em tocaia assassina, outros falariam a sua palavra. Sabia também que no sangue derramado havia uma forma muito especial e diferente de não silenciar e, portanto, de dizer.

E tinha razão! Mais de 5 mil camponeses estiveram presentes ao seu enterro. Todos sabiam que a palavra de João Pedro jamais morreria. Elizabeth assumiu a luta à frente da Liga Camponesa de Sapé ali mesmo diante do seu cadáver. Manteria João Pedro vivo para sempre. Suas palavras não conheceriam os ventos.

À época, o Nordeste era a maior, a mais extensa e mais negligenciada zona de pobreza do mundo ocidental. Faltava-lhe tudo: o pão, a saúde, a escola, a segurança, a cultura, a terra para as culturas de subsistência e a moradia, o trabalho, o campo santo. João Pedro estava morto, mas muitas outras ligas camponesas nasceriam na Paraíba sob a liderança do advogado socialista Francisco Julião de Paula, que as tornou conhecidas no exterior proclamando a justeza da luta que depois se estendeu do Nordeste por todo o território nacional. O regime se alarmou e a ingerência norte-americana no país também. Tinham que eliminar, e eliminaram, qualquer mínima possibilidade de uma nova força revolucionária na América Latina. Milhares de camponeses, professores, advogados e religiosos enfrentaram a luta pela reforma agrária apesar dos riscos. Dezenas deles foram seviciados e mortos antes, durante e depois da ditadura. A hidra temia o surgimento de uma nova Cuba em terras brasileiras.

Ano depois do assassinato de João Pedro, Elizabeth foi presa pelas forças do Exército. Durante oito meses foi torturada e ameaçada de morte, e da morte dos filhos. Ali o silêncio era necessário. Saiu da prisão com a saúde abalada, cheia de dores e de medos pelos filhos, pelos companheiros, por si mesma. Nunca soube para onde os filhos foram levados nem com quem estavam nem se ainda viviam.

Também estava marcada para morrer. Teve que esconder-se às pressas em um lugarejo distante do Rio Grande do Norte com a ajuda de companheiros de luta. Lá, foi lavadeira enquanto aguentou as dores da idade e as sequelas da tortura. Deixou de passar fome quando, com as poucas letras que sabia, começou a alfabetizar as crianças que viviam nas ruas do povoado sem escola porque escola não havia. Em troca, as mães lhe davam de comer e a ajudavam a viver.

Quando Figueiredo, que não aguentava mais a ditadura, pôs fim à tortura e o país finalmente avistava as primeiras luzes da democratização, Elizabeth voltou à luta depois de dezessete anos de clandestinidade. Tinha perto de setenta anos, faltava-lhe saúde, mas não esqueceu o que João Pedro jamais cansara de dizer: que não há nos campos do Brasil homem algum que não conheça a dignidade que cabe a todos os homens. Suas palavras não conheceram os ventos.

O Dejeto

Estava repleta de vazios. Desde menininha, sentia-se dolorosamente deslocada, como se não tivesse nenhum lugar, nenhuma raiz. Não sabia sua origem, de quem havia nascido, porque viera ao mundo assim sem pai nem mãe. Sentia-se dilacerada, perdida e cheia de lacunas, de perguntas sem resposta, de impossibilidades para viver. Era um nada.

Quem era ela, afinal? Nem sequer sabia da origem, como poderia construir um destino, dar-se um sentido para viver e existir? Não tinha direito nem mesmo à identidade! Quem era ela? Quem eram seus pais? Como e onde havia nascido? Por que os avós silenciavam? Não sabiam que a incompletude é uma chaga aberta, dolorosa e nunca em remissão? Eram tão bons e a amavam tanto! Por que a recusa, o segredo, o mistério? Não sabiam que o silêncio tinha a força de uma tortura proposital e dilacerante?

Cresceu com essa dor. Sentiu que se alastrava. Não queria, mas se alastrava e se alastrava ano após ano nos caminhos da morte. Se não tinha direito à origem, também não tinha direito à vida. Por que não dar-lhe fim? Era mesmo um nada!

Não era justo! Por que não tinha direito à verdade? O que tinha acontecido? Não tinha nascido do amor ou pelo menos do prazer? Era o resultado de alguma violência, de algum crime, de alguma perversão, de alguma vergonha? Era mercadoria? Era isso? Uma coisa? Parte dela tinha sido comprada num banco de esperma? Foi produzida em laboratório de inseminação artificial? Foi bebê de proveta? De que barriga tinha saído? Era barriga de aluguel? Não nasceu da mãe? Quem era a mãe? E o pai? Quem era?

A vida toda se sentiu sem raízes, sem direito ao passado, sem direito à verdade no presente, sem direito ao futuro, à possibilidade da felicidade, à existência e ao mundo. Como podia construir uma existência participativa, valorizar-se, pensar em casar e ter filhos, trabalhar pela vida e amar a si mesma e aos outros se não conhecia a própria origem, se não era parte de nenhum começo, de nenhuma história, se não sentia pertencer a nenhum lugar, a nenhum mundo?

Se não fosse pelas perguntas sem resposta, não tinha do que se queixar dos avós. A infância cheia de mistério também foi cheia de magia. Os avós lhe deram do bom e do melhor, cuidavam dela com delicadeza e carinho, não lhe deixavam faltar nada, estavam sempre atentos, nem compreendia por que tanta vigilância, tanto cuidado. Brinquedos tinha aos montes, bonecas nem se fala! Teve mais de trinta. E bichinhos, bichinhos de verdade também! Nunca lhe faltou a companhia de um gatinho, um coelho, um cachorrinho. Tinha sido muito mimada, essa é que era a verdade. Os avós a adoravam! Por que não lhe falavam dos seus pais? Por que tanto mistério, tanto segredo? Por que aquela dor que ela sentia imemorial dentro deles?

Fotografias, tinha mais de mil. Os avós se esmeraram em registrar tudo, cada fase, cada evento, cada aniversário, cada Natal, cada brincadeira, cada carinha, cada jeitinho delicioso dela ser e crescer. Aparecia sempre bem vestidinha, olhos brilhantes e muito azuis, os cabelos louros, ora soltos, ora trançados deliciosamente ou presos em gracioso rabo de cavalo. Ficava tão brejeira de maria-chiquinha! De qualquer jeito e até descabelada, recém-saída do banho ou do mar, estava sempre muito lindinha. Em todas as fotos, aparecia feliz brincando na casinha de boneca ou na areia da praia, montando castelos nunca terminados, fazendo comidinhas de mentirinha na casa da árvore ou andando de bicicleta já mais crescidinha ou se divertindo no parque de diversões, no circo, no tobogã ou fazendo caretas pros macaquinhos no zoológico. Teve uma infância linda, mas nas fotos nunca estava com amiguinhos ou pessoas adultas. Estava sempre sozinha ou com os bichinhos de estimação.

Soube aos seis anos que pertencia de fato àquela família. Não tinha sido achada na rua nem adotada, como já tinha passado pela sua cabecinha de criança. Tinha o nome dos avós e era o mesmo nome da única filha deles. Ela era bem bonita! Tinha até uma foto dela em cima do piano. Por que nunca falavam dela? Ela tocava piano? Era sua mãe? Não se pareciam nada uma com a outra! A moça do retrato era morena, de cabelos pretos e cacheados e tinha grandes olhos castanhos quase pretos de tão escuros. Ela, ao contrário, era loirinha, cabelos bem lisos e olhos azuis! Eram mãe e filha? Por que não morava com eles? Por que nunca a tinha visto? Estava morta? Não, não acreditava! E o pai, quem era o pai? Era moreno ou era claro? Ela se parecia com ele? Era bonito? Onde ele estava? Por que nunca o tinha visto?

Aprendeu muito cedo que esse era um assunto proibido. Não que os avós a proibissem de fazer perguntas sobre qualquer coisa, mas sobre isso eles sempre achavam um jeito de escapar. Quando ela insistia, a avó caía no choro, estava sempre ocupada e fugia. Por que o mistério?! Não entendia! O avô também estava sempre ocupado e caía fora sem mais desculpas. Ia caminhar com o cachorro e demorava pra voltar. Fugia. Por que o segredo?! Não compreendia! Seu nascimento era uma desgraça? Ela era maldita? Não havia tido direito à vida em algum momento? Era uma rejeitada? Quem era ela, afinal?

Tinha certeza que a moça da foto não estava morta. Se estivesse, ela saberia. Todos os meses, os avós iam ao cemitério do Araçá levar flores e rezar pelo filho morto aos vinte e dois anos de causa não sabida. Ela ia junto. Se a filha deles estivesse morta, estaria lá com o irmão. Não estava! Então, onde estava? Por que ela não aparecia? Se era sua mãe, por que nunca estiveram juntas?

Começou a saber alguma coisa no dia em que a avó foi fazer sua matrícula no primeiro ano escolar. Sentiu o olhar reprovador da secretária quando abriu sua certidão de nascimento. Nem sabia que tinha uma certidão de nascimento! Para que servia? O que será que estava escrito lá? A mulher lia e, a cada anotação, parecia não estar nem aí com a velha nem com a criança. "Nome da mãe, hum hum..., é sua filha, minha senhora? Por que ela não veio com a menina? Nome do pai: desconhecido. Huummm... A menina não tem pai?

Declarante: o avô. Huummm... Seu marido não sabia quem era o pai da sua neta quando fez o registro, minha senhora? Aqui a gente faz questão da presença dos pais nas reuniões de pais e mestres! Quem é que vai acompanhar a menina na escola, minha senhora?"

Pai desconhecido?! Como assim? Os avós não sabiam quem ele era? Desconhecido por quê? Tinha que ter uma explicação! E por que a avó saiu da escola chorando tão dolorido que até soluçava? Por quê? E por que a secretária da escola a olhava daquele jeito esquisito? Até que a mulher tinha razão, o avô não sabia quem era seu pai? Por que "pai desconhecido"? Não tinha o menor cabimento! Qual era o mistério?

Sofreu e chorou a vida inteira por causa daquele "pai desconhecido". Aquela cena na escola se repetiu tantas vezes que até parou de doer. Todo mundo estranhava. Ela não sabia nada da mãe nem do pai? Coisa esquisita! Nunca soube o que dizer, ficava envergonhada e fugia. Igualzinha aos avós.

Também não compreendia por que tão poucas vezes os coleguinhas a convidaram para as festinhas de aniversário. Podia contar nos dedos de uma só mão. As outras meninas iam a todas as festas na casa umas das outras. Ela ia às festas da escola, ia a todas e sempre com os avós. Eles não tiravam os olhos dela! Por que tanta vigilância? Era boazinha, não fazia nada errado!

Também não fez a primeira comunhão como as outras meninas da escola. O padre não a incluiu na catequese. Não entendia. A igreja não era a casa de Deus?! Achava que ela também era filha de Deus! Ou não era? Então! De quem ela era filha? De ninguém? Por que o mistério? Era pecado falar nisso?

Às perguntas de sempre sucedia o silêncio de sempre. Sentiu-se em ruína aos seis anos de idade! Daí por diante, a avó chorava às vezes quase em soluços toda vez que ela lhe fazia perguntas. Era inútil. Ninguém lhe dava qualquer resposta.

Agora estava de casamento marcado e os pais do noivo entraram em colisão aberta com o filho. Eram de uma família tradicional, mineiros, conservadores ao extremo e católicos apostólicos praticantes e devotos de Maria. O pai até era senador da República. Como o filho ia se casar com uma filha de ninguém, de pai desconhecido e ainda por cima pagã? Quem era a mãe, onde estava? Se ninguém sabia e o pai era desconhecido, não havia porque duvidar: a mãe era puta, devia estar galinhando por aí na esbórnia, jogada na perdição e na vida fácil. Isso é o que ela devia ser, não podia ser outra coisa! Era essa gentinha que ele queria trazer para a família? Era com essa gentinha que ele queria constituir família, ter filhos?

Ela não era gentinha. Os avós não eram gentinha. Deram-lhe o nome, o teto, os cuidados, a educação, o amor. Não lhe faltara nada. Tocava piano lindamente, era cardiologista, fizera residência na Austrália, já tinha publicado um livro sobre técnicas avançadas nos transplantes cardíacos e trabalhava num dos mais conceituados hospitais do país.

Cuidava do coração alheio. Precisava de quem cuidasse do seu.

A ajuda chegou pelo correio quando entrava em casa num final de tarde. A carta era do ministério da Justiça e o destinatário era o avô. O que uma correspondência oficial poderia querer com ele? O velho mal existia tanto o avanço da idade! O que a Justiça queria com ele? Com uma pessoa de noventa e oito anos de idade? Perguntou para a avó que, mais do que depressa, tentou lhe tirar a carta das mãos. Por que? Por que as lágrimas? Estava lá a resposta às suas perguntas de toda a vida?

O choro da avó cortava-a como uma faca. Tinha sido assim desde os seis anos. Estava com vinte e sete. Não aguentou e abriu o envelope. Precisava saber! Em menos de três linhas, a Justiça informava o avô da existência de uma indenização à família por danos físicos e morais sofridos pela filha presa por quase dois anos pelo governo militar.

O segredo estava desfeito. Os avós não tinham mais porque silenciar.

A filha tinha vinte e nove anos quando se engajou à luta armada contra a ditadura. Era médica pesquisadora de doenças transmissíveis, não aceitava o arbítrio e o quadro de terror e injustiça implantado no país. Lutaria a qualquer preço pela liberdade e a democracia. Foi presa, torturada, currada, estuprada e desaparecida. Nos primeiros dias da prisão, os pais até que puderam vê-la no DOI-Codi e levar-lhe alguns livros, algumas roupas, mas ela desapareceu logo depois. Acionaram a Justiça, contrataram advogados, procuraram e bateram de porta em porta, no Ministério Público, na Arquidiocese, nos quartéis, nas delegacias, na Anistia Internacional, na Frente Brasileira de Informações, mas nada! Não conseguiram localizá-la. Estava desaparecida.

Quase dois anos depois, um carro parou em frente à casa do casal numa madrugada gelada e chuvosa. Os velhos, vigilantes desde o desaparecimento da filha, acordaram em sobressalto, mas ficaram em silêncio tateando as paredes no escuro. Só acenderam a luz quando, minutos depois, ouviram o barulho do carro se afastando. Olharam pela fresta da janela, não viram nada e acharam que podiam voltar para a cama. Estava um frio de congelar! Melhor não irem lá fora, logo amanheceria e com o dia claro tudo se esclareceria.

O cachorro não deixou. Corria, saltava e latia nervoso diante da porta da rua. O bicho farejava alguma coisa. Ou alguém. Teriam deixado algum bichinho no jardim encoberto pela noite? Ou... seria a filha?

Era! Estava encolhida no chão, tremendo de frio e sem forças para levantar. Parecia estar doente, andava com dificuldade, mancava, estava descalça e desagasalhada, não dava para entender o que dizia, tinha marcas de queimaduras nos pés e nas mãos, envelhecera e tremia muito, não sabiam se de frio ou de medo.

Também estava para dar à luz.

Poucos dias depois, a menina nasceu de parto bastante difícil e com peso insuficiente. Levaram-na para a UTI neonatal e lá ela ficou por dez dias. A mãe ficou três semanas no hospital, não voltou para casa e não viu a criança. Era um perigo para si mesma, para a recém-nascida, para os velhos. Foi internada numa clínica para doentes mentais. Estava lá há vinte e sete anos.

Visitou a mãe uma única vez. Estava catatônica. Presa à carne, mas irremediavelmente ausente.

Estava desfeito o segredo, mas não o mistério. Seguiria partida e filha de pai desconhecido.

Sentiu-se um dejeto.

A morte lhe seria bem-vinda.

A Festa

Levantaram-se aterrorizadas com a aproximação dos soldados logo no começo do dia, mas ao vê-los souberam que desta vez ninguém iria para a sala de tortura. Abriram a cela, chamaram três das onze prisioneiras e lhes devolveram suas roupas e calçados pessoais. Não era pra se vestirem já. Primeiro iam tomar um bom banho com sabonete e xampu. Mal se conheciam, mas quando se viram sozinhas no banheiro, as três mulheres abraçaram-se longamente. Iam voltar pra casa. Era Natal. Iam voltar pra casa! Iam voltar pra casa! Nem acreditavam! Graças a Deus!

Quase duas horas de angústia depois, os soldados foram buscá-las. Tinham demorado tanto! Era muito difícil conter a ansiedade! Por que demoraram tanto se tomaram o banho mais rápido de suas vidas?! Estavam prontas havia muito mais de uma hora! Ninguém respondeu. Com os soldados estava um dos presos da cela vizinha, de banho tomado, vestido, calçado, penteado e de barba feita. Ele também ia sair, pensaram. Olharam-se felizes, elas e ele, olhar de cumplicidade, de alívio, de "pronto, acabou!". Uma delas não aguentou e arriscou a pergunta: "Nós vamos embora? Vamos pra casa?". Novamente ninguém respondeu, cumpriam ordens.

Atravessaram um longo pátio, os pés tão leves que pareciam alados, quase atropelando os soldados tanta a ligeireza, a pressa e a alegria, os quatro em incontida algazarra. Chegaram a uma sala completamente vazia, nenhuma mesa, nenhuma cadeira, nada! Esperassem!

Esperaram. Meia hora. Não podiam sentar-se no chão, estava sujo demais, se sujariam, iam pra casa, tinham que chegar com a melhor aparência possível, não queriam assustar os velhos, os meninos, bastavam os arranhões, os hematomas, a dificuldade para andar. Esperariam de pé, tudo bem! Estavam de partida, logo veriam a rua, a liberdade. Esperaram. Uma hora, hora e meia, quase duas. Ficar de pé tanto tempo olhando um para o outro naquela sala fechada e vazia era difícil, mas era o de menos. Não aguentavam mais tanta ansiedade, o desespero tomando-lhes a alma novamente quando a porta finalmente se abriu e o sargento pediu que o acompanhassem. Acompanharam. Cheios de esperança e de medo. Por que só eles quatro?! Iam mesmo pra casa? Para onde iam?

Atravessaram outra vez o mesmo pátio mal contendo a pressa, a ligeireza e a alegria. Estavam confiantes, iam pra casa, tinham certeza, não lhes devolveriam as roupas se não tivessem decidido libertá-los. Graças a Deus!

No caminho para onde não sabiam, ouviram de longe uma cantiga de roda daquelas antigas cantadas nas brincadeiras infantis. Que estranho! Cantiga de roda num quartel! A cada passo, a música ficava ainda mais clara e sonora. Se não fosse pela prisão, sentiriam prazer em ouvi-la e cantá-la. Era coisa de infância. Deles e dos filhos. Que saudade! Dos filhos e da infância.

Subiram quase aos saltos a escada que levava para a administração do batalhão e entraram até vivazes demais no escritório do comandante, tantas dores pelo corpo todo, o coração também aos saltos. Com certeza iam receber os documentos e as bolsas, assinar a soltura. Iam pra casa!

O oficial os recebeu sorrindo e disse-lhes que aquele era um dia festivo, passassem para a sala contígua. Não iam pra casa?! O que os aguardava ali? Seriam visitas? O que era? A cantiga agora era outra e vinha daquela porta, o que estaria acontecendo? O comandante lhes abriu a porta ainda sorridente e insistiu. Passassem. Passaram.

O que estavam vendo era absolutamente inesperado. Era uma surpresa maravilhosa! Nada mais nada menos que os seus filhos pequenos brincando contentinhos em meio a um monte de brinquedos com outras crianças também bem pequenas.

Ao todo eram doze crianças entre três e sete anos, sete dos quatro presos e cinco dos oficiais do comando. Eram cinco meninos e sete meninas. Os menininhos ficaram felizes, rostinhos iluminados, quando viram suas mães. Uma das menininhas correu para abraçar o pai. Perguntou-lhe várias vezes por que ele estava chorando, por que estava triste, por que não voltava pra casa, onde tinha feito dodói. Quanto mais ela perguntava, mais os quatro adultos choravam abraçados aos filhos e sem saber como lidar com tanta felicidade entranhada em tanta dor.

Os cinco menininhos filhos dos militares mostraram-se intrigados e interrogativos em meio àquele turbilhão de lágrimas, risos e louvações a Deus. Não entendiam os adultos, nem os de antes nem os de agora, então continuaram brincando, tinham muito que aproveitar. Era uma festa de Natal! A sala estava linda demais, toda iluminada! O pinheirinho era alto, majestoso e estava lindo, enfeitado com bolas azuis bem brilhantes e flores brancas salpicadas de purpurina dourada. Tudo estava muito lindo! A árvore de Natal não podia ser mais bonita, cheia de luzes e bichinhos de pelúcia, e debaixo dela tinha muitos presentes do Papai Noel pra todos eles! Quando iam abrir?! Nunca tinham tido tanto brinquedo e era bem gostoso brincar com aqueles novos amiguinhos, os de antes e também os de agora!

As doze crianças estavam felizes, deslumbradas com aquele brilho, aquela fantasia toda! Estavam muito contentes curtindo tantos brinquedos e tanta beleza! Em casa não tinham uma árvore de Natal tão bonita! Também não tinham tantos amiguinhos. Queriam vir sempre pro quartel! Era muito legal, muito mais gostoso do que brincar só com os irmãozinhos ou ficar em casa só no sofá assistindo ao *Sítio do Pica-Pau Amarelo*! Bem que a Narizinho, a Emília, o Visconde de Sabugosa e o Pedrinho iam gostar de conhecer o quartel, era bem animado com tantas crianças brincando e cantando juntas! Tinha até Papai Noel de verdade, brigadeiro e sorvete pra todo mundo!

Os presos não sabiam o que fazer, o que pensar. Aquilo era simplesmente inacreditável! Era compaixão?! O que era? Eles iam pra casa? Eles não iam pra casa? Então trouxeram os menininhos pra lhes dar algum conforto, alguma alegria? Por causa do Natal?

Aqueles homens tinham alma? Que surpresa era aquela? E os avós, onde estavam? Estariam no quartel também? Estavam bem? Não lhes fizeram nenhum mal? Eles trouxeram os netinhos? Quem foi buscá-los? Eles iam pra casa com os filhinhos e os pais? Estavam livres? Iam pra casa?

Quase meia hora depois, só vinte a vinte e cinco minutos depois de tanta surpresa, espanto, felicidade, dúvida e indagações, o tenente e o capitão entraram na sala de cara fechada e sombria. Não estavam em clima de Natal. Os presos já os conheciam das salas de tortura. Agora, antes mesmo de falarem, aqueles pais novamente torturados e de forma ainda pior souberam que não iam pra casa. A brincadeira tinha acabado! A brincadeira tinha acabado também para os seus menininhos, eram filhos de comunistas! Voltariam para casa sem entender nada... Estava tão gostoso brincar naquela festa! Pena que os avós ficaram lá fora e não viram os filhos... Iam gostar da festa, estava tão bonita!

De volta para as celas, os quatro presos atravessaram o mesmo pátio, agora com os pés pesando toneladas.

Era Natal. De 1978.

O Pancada

Enxerido como ele só, o ratinho era invasivo. Não tinha mancômetro. Era um rematado sem noção. Assaltava seu prato de comida sem nenhum limite assim que o carcereiro trazia a boia do almoço sempre com cara de quem morria de pena dele e dos outros presos políticos. Pelo visto, o camundongo achava que era uma gororoba pra lá de gostosa e não fazia a menor cerimônia de brigar com o preso pelo que achava mais gostoso. Depois, encarapitava-se em seu ombro e lá ficava lambendo as patinhas até cair de sono. Não tinha dúvida, era só aninhar-se no alto daquele cocuruto delicioso. Cabelo crespo, comprido, embaraçado e fedorento era o que não faltava. O povo preso até parecia *hippie*, não tomava banho e adorava um rabo de cavalo!

Tinha muito rato na cadeia. Volta e meia, os presos tinham que reduzir a população. Já era difícil, com a rataiada ficava ainda pior e a carceragem não tomava nenhuma providência. Os ratos aumentavam a tortura e o perigo. Mas o impossível acontecia e um ou outro preso se apaixonava por um ou outro dengoso que se arriscava aos pratos de comida fraca, pobre e ruim, às vezes até podre. Não acontecia só com um ou outro ao longo de muitas histórias e prisões. Acontecia até com uma frequência esquisitamente humana: não é que volta e meia um ou outro preso se afeiçoava a um ou outro ratinho? Eram todos hiperespeciais, humanos e animais.

O seu era um ratinho sem vergonha, tinha olhinhos arteiros e brilhantes e era o máximo da esperteza. Como todos os outros. Coisa de rato, hiperatividade era com ele mesmo. Mas o seu tinha uma pintinha branca no lado esquerdo do focinho, era diferente.

Estrilava diferente dos outros e era especialista em encantamento. Ele sabia quem era o seu ratinho. Ele sabia quem era o seu humano.

Na prisão o tempo não tinha medidas. Não passava nunca. Na tortura não parecia andar, se estendia, se estendia. Na cela só passava mais rápido quando um dos companheiros resolvia falar de Deus, de filosofia, de arte, de futebol e de mulher. Até o carcereiro e os presos comuns gostavam de escutar. Parecia que estavam todos no mesmo barco e então era mais fácil suportar. O tempo passava ainda mais devagar se a hora era de vistoria e ele tinha que esconder o ratinho. Mal respirava. Se percebessem o companheirinho e a natureza daquela relação estapafúrdia iam arrancá-lo dele. Não tinham piedade. Fazia parte da tortura. Quando descobriam algum bichinho de estimação na carceragem, a pomba teimosa que todos os dias arrulhava no alto do basculante, o gato que de repente apareceu atraído pelo cheiro e os guinchos dos ratos e não foi mais embora, os ratos mesmo, não hesitavam, desapareciam ou davam fim aos bichinhos. Era mais um choque, um choque que se alastrava por dias e mais dias no semblante e na alma de cada preso, do que se sentia parceiro do bichinho e também dos que percebiam aquele carinho, aquele suporte invulgar.

Cuidava do ratinho. Chamava-o de Pancada. Era mesmo um louquinho! Onde já se viu se meter naquele lugar! Não era lugar nem mesmo para ratazanas! Quanto mais para um ratinho dengoso, atrevido e com uma pintinha branca no lado esquerdo do focinho!

Doze dias depois da última revista, o capitão comandante oficiou sua liberdade logo nas primeiras horas de uma manhã de muito sol. Ficou e não ficou feliz. Não era hora da boia e o Pancada ainda não tinha aparecido. Tinha saído muito cedo. Ainda estava escuro. Devia estar brincando no esgoto. Pena que tivessem se desencontrado, ele noutra espécie de esgoto.

Capitão... Capitão...

Será... Será que ele podia ficar pro rango ainda mais uma vez?

Axé em Moscou

Noite de gala no Teatro Imperial de Moscou. Na plateia lotada, mulheres, vestidos e joias deslumbrantes. Diamantes, esmeraldas, rubis, safiras, brilhantes e turmalinas faíscam luz, beleza e luxo entre as paredes adamascadas e os balcões decorados a ouro, veludo antigo e milhões de rublos. Em meio aos soviéticos e aos ocidentais vestidos com sobriedade e rigor, homens e mulheres da África misteriosa vestem caftans, batas e vestidos de seda de cores fortes e grafismos surpreendentes. Ostentam penteados típicos ou turbantes enrolados sem um único nó e joias também deslumbrantes criadas por mãos sensíveis apenas com elementos da natureza intocados pela civilização. A noite é dos orixás.

A noite é afro-brasileira e a apresentação é da Orquestra Filarmônica de Moscou criada por brasileiro expulso do Brasil por duas ditaduras. O concerto é o *Oratório Candomblé*, de compositor brasileiro. O maestro é brasileiro. Não por acaso, a mesma pessoa.

Dividido em treze partes e ao toque de uma orquestra de percussão que reproduz os ritmos africanos do candomblé, o concerto celebra Ogum, Xangô, Iansã e Obaluaiê, culminando com oração final aos orixás das casas de segredos afro-brasileiras. As forças da natureza e as características solares e sombrias que os deuses têm em comum com os humanos estão presentes na voz profunda dos seis solistas, dos dois coros mistos e do coro infantil, todos soviéticos, que cantam em nagô as florestas e as tempestades, as águas, a terra e as estrelas e também a justiça, a guerra, o amor, os caminhos, a vida, a morte e o destino.

A África é brasileira em terra moscovita.

Todo o concerto é mistério, ritmo, brincadeira, festa e sagração. Os humanos saúdam e cantam os deuses. O Brasil celebra a África, a liberdade e a fé.

A noite se encerra no Teatro Imperial de Moscou sob extraordinária ovação, centenas de pessoas aplaudindo de pé, por vários minutos e sob o efeito encantatório do candomblé. Ninguém queria ir embora. O maestro e compositor brasileiro José de Lima Siqueira voltou sete vezes depois das pesadas cortinas de veludo antigo se fecharem, ostentando a foice e o martelo bordados em ouro sobre o vermelho sangue. O público não cansava de aplaudir. Aplaudia a alma afro-brasileira.

Muito dessa alma José de Lima Siqueira encontrou nos terreiros de Pernambuco e da Bahia quando de sua volta do primeiro exílio, em 1956. Os ritmos dos atabaques chamando os orixás para o xiré, a dança e a brincadeira o envolviam num misterioso fascínio. Encantou-se com o rumpi e o iê, ritmos que reproduziam as modulações do iorubá e também com o rum marcador dos passos de cada dança. Conheceu dezesseis ritmos diferentes, um para cada orixá, amou o som dos agogôs e dos xequerês e descobriu-se capturado pelos abatés anunciadores da morte e pela música sagrada contida em mais de quinhentos cânticos dedicados aos orixás. Ousaria fundir essa beleza aos estilos da música brasileira popular e erudita para compor suas óperas, cantatas e oratórios. Queria que o mundo todo pudesse ouvir a alma da África em terras brasileiras.

O *Oratório Candomblé* tornou-se referência no cenário da música contemporânea, mas não foi a única peça orquestral do maestro José Siqueira a aliar a memória musical clássica à cultura negra do Brasil. Outras séries de oratórios e cantatas foram compostas, gravadas e orquestradas no exílio. Divulgadas, ele deu lugar à alma do povo afro-brasileiro em várias partes do mundo, etnias e classes sociais.

Sua adesão ao comunismo era antiga. Tornou-se comunista depois de recrutado para combater a Coluna Prestes em 1927. Apaixonou-se pela luta de Luiz Carlos Prestes e de Juarez Távora. Achava que eles queriam o melhor para o Brasil. Ele também o quis por toda a vida.

À época não entendia muito de música, mas tinha dezoito anos, podia aprender. E aprendeu. Tanto que, depois do primeiro exílio criou, apoiado pelo governador Miguel Arraes, a Orquestra Sinfônica do Recife, a primeira do Brasil, a Orquestra Sinfônica Brasileira, no Rio de Janeiro, e os famosos Concertos da Juventude. É dele o projeto de criação da Ordem dos Músicos do Brasil, sancionada em lei pelo presidente Juscelino Kubitschek em 1960. Foi seu primeiro presidente até 1964 quando a ditadura militar cassou-lhe os direitos políticos. Também estava proibido de reger, gravar e lecionar em solo brasileiro. Arrancavam-lhe a alma pela segunda vez.

O exílio novamente foi sua única opção.

Não teve o reconhecimento da pátria na medida de sua grandeza, mas antes do segundo expurgo fundou com Villa-Lobos a Academia Brasileira de Música. A genialidade de um transmutava brasilidade no gênio do outro. Reconheciam-se mutuamente. Não era o justo, mas era o bastante para José de Lima Siqueira continuar desenvolvendo em terra estrangeira os sons exuberantes de uma música que se compunha aliada a todos os sons.

Viveu fora do Brasil por mais de trinta anos.

Voltou depois da anistia para morrer em solo pátrio. Não antes de lançar no Rio de Janeiro sua *Cantata Negra para Xangô* há muito tempo conhecida e apreciada no exterior.

Exu não lhe tolheu os caminhos.

A Amizade

Foram amigos por mais de cinquenta anos. Era uma amizade improvável, mas foi íntima, fértil, generosa, solidária e presente por mais de meio século. Um, capitão do Exército, engenheiro militar e ateu por toda a vida; o outro, defensor dos perseguidos políticos de duas ditaduras e temente a Deus por toda a vida. Ambos lutavam pela mesma justiça, ambos nutriam a mesma esperança.

Era mesmo uma amizade improvável. Tinha tudo pra dar errado e não passar de uma aproximação conveniente, talvez só para um, mas foi exatamente esse que a princípio rechaçou o outro. Luiz Carlos Prestes, preso em 1935 na Revolução Comunista, não quis sequer receber na cadeia o advogado Sobral Pinto. Não acreditava que aquele "mocinho" enviado pela Ordem dos Advogados do Brasil para representá-lo conseguisse a sua liberdade. A justiça havia sido substituída pelo arbítrio. O que ele e todos os outros presos políticos poderiam esperar senão o confinamento, a tortura e a morte? Não acreditava na justiça agrilhoada pela ditadura de Vargas. A depender do novo governo, ele ficaria a vida inteira na prisão. Não havia deportado sua mulher grávida para morrer num campo de concentração nazista? Advogado nenhum seria capaz de mudar o seu destino.

Não era o que pensava Jenny Oliveira Gomes, mãe daquele que no futuro seria o venerado brigadeiro Eduardo Gomes, patrono da Aeronáutica. Mulher inteligente, muito culta, artista plástica e pianista, venceu a resistência de Prestes. Ela sabia bem quem era Sobral Pinto, sabia bem quem era Luiz Carlos Prestes. Intuía que aquele encontro seria um encontro extraordinário. Compreendia aqueles dois homens com entendimento de mãe.

Sobral Pinto sabia separar as coisas, era anticomunista, mas defenderia aquele e qualquer outro comunista sempre que a justiça se fizesse necessária. Era advogado. Sua vida se construía nos caminhos de Deus e da justiça.

Prestes ficou na prisão do Estado Novo por nove anos. Não fosse pela presença semana a semana de Sobral Pinto, estaria absolutamente incomunicável. Quem o visitava vez por outra era o advogado. Quem o visitava todas as semanas era o amigo.

De um e de outro, a admiração, o respeito e a surpresa eram mútuos. De um lado, o desejo de reformas de base para o país, a utopia, de outro o desejo de justiça para a nação, outra utopia. De um lado, o confronto armado, de outro a justeza das leis. De um lado, a foice e o martelo, de outro a lei, a penitência e a redenção. Nos dois lados, a mesma luta, a mesma esperança.

A admiração e o respeito de Prestes por Sobral Pinto estiveram em crescimento contínuo por mais de cinquenta anos. As surpresas se sucediam a cada dia mais imperiosas e fascinantes.

Ainda na prisão de Getúlio Vargas, ele viu o advogado lutar pela libertação de Harry Berger das garras do carniceiro Filinto Müller, que mantinha o homem de 1,90m sem poder se mover preso num vão de escada de apenas 60 cm de altura. Se isso já não fosse bastante, o preso era submetido a torturas de extrema crueldade, ficava muitas vezes sem comida, não tinha qualquer assistência médica e durante um ano nem sequer teve direito a banho ou ao calor do sol.

Dois anos antes, um cavalo morto a pancadas pelo próprio dono e o juiz paranaense Antonio Leopoldo dos Santos, que condenou o desalmado a dezessete dias de prisão, mudaram essa barbárie. Sem saber, o juiz justo e compassivo inspirou Sobral Pinto a usar o Decreto de Proteção e Defesa dos Animais assinado por Vargas em seu pedido de *habeas corpus* para Harry Berger. Faltava ao corpo jurídico brasileiro artigos em que pudesse basear sua petição, mas se o Estado reconhecia os direitos dos animais a boas e justas condições de vida deveria reconhecer por pura lógica os direitos de um ser humano a tratamento condigno em qualquer lugar, inclusive na prisão.

A batalha jurídica foi difícil, se estendeu por longo tempo, mas o Tribunal da Segurança Nacional acabou por devolver a Berger os direitos que lhe foram usurpados, mas não a saúde, a lucidez e a vitalidade. Em 1942, foi encaminhado ao Manicômio Judiciário do Rio de Janeiro. O homem forte e culto, que fora deputado socialista na Alemanha, que era um teórico anti-stalinista e que tivera missões na Argentina, na China e na Europa, não resistiu às torturas. A insanidade foi seu destino até a morte em 1959, de volta à terra natal.

A admiração e o respeito de Sobral Pinto por Luiz Carlos Prestes também cresceram em igual grandeza.

Aquele homem era a utopia encarnada. Com pouco mais de vinte anos, comandara a Coluna Prestes formada por militares descontentes com o governo de Arthur Bernardes. Queria uma democracia plena na qual não houvesse concentração do poder nas mãos das elites, queria o ensino fundamental obrigatório em todo o país e reformas políticas e sociais de base. Acreditava que só pela revolução seria possível acabar com as fraudes eleitorais, a miséria e a injustiça social. Não era comunista até então. Só depois, muito depois, dedicaria sua vida e seus esforços ao comunismo. Tinha ideias iluministas, acreditava na luta pela igualdade de direitos. Em 1935, liderou a Intentona Comunista. Queria derrubar o Estado Novo, combater o imperialismo e as oligarquias e promover a convocação da Assembleia Nacional Constituinte. Foi vencido, preso por nove anos e submetido a dores e violências inconcebíveis.

Conheceram-se nesse tempo o jurista e o militar. Admiraram-se e respeitaram-se mutuamente. Depois, Prestes foi novamente para o exílio. Voltou com a anistia três anos depois, elegeu-se senador pelo Partido Comunista Brasileiro e continuou na luta contra o imperialismo estrangeiro, o poder das elites rurais, a manutenção dos latifúndios e o avanço do integralismo no Brasil. Nada o demovia. Enfrentava qualquer risco em nome da liberdade. Dois anos depois, o partido foi lançado na clandestinidade. Por dezessete anos, ele também.

Prestes era o primeiro na lista de cassações da ditadura militar em 1964, mas seus ideais continuavam os mesmos. Não esmoreceria, custasse o que custasse. Queria democracia e justiça social. Isso incluía igualdade e respeito às liberdades. Em 1979, voltou do exílio mais uma vez. Ainda era a utopia encarnada. Tinha oitenta e um anos. Sobral Pinto estava à sua espera no aeroporto para o abraço de boas-vindas. Tinha oitenta e seis anos e também era a utopia encarnada.

O abraço foi longo, silencioso, profundo. Estavam juntos de novo.

Sobral conduziu Prestes à sepultura onze anos depois. O líder tinha noventa e dois anos, o libertador noventa e sete. Estiveram na vida um do outro por cinquenta e cinco anos.

Eram amigos, uma amizade improvável, mas fiel, política, religiosa e real até o fim. Estiveram juntos quase até a morte de um e de outro.

Foram para o Brasil os incansáveis Cavaleiros da Esperança.

A Pedagoga

Desceu a rua paralela ao leito do rio com a alma despedaçada. Quanto mais andava, mais em pedaços se percebia olhando sem entender aquelas águas que conduziam na superfície dezenas de sacos volumosos, sujos e manchados de vermelho, parecendo sangue velho tão escuro em uns e sangue muito novo e vibrante em outros. O que seriam? Por que aqueles sacos estavam ali logo ao amanhecer flutuando sobre as águas do rio? Seriam corpos dos presos torturados até a morte nos DOI-Codis e nas casas da morte? Alguém teria cometido algum erro na desova da madrugada ou seriam animais esquartejados que caíram de algum transporte por imprudência ou negligência humana? O que ou quem estaria dentro daqueles sacos em sangue vivo flutuando sobre as águas que naquele rio já conhecera histórias de miséria e de grandeza?

Mais perguntas se fazia, mais intensas eram suas dores, maior ainda o desespero que a afligia sem nenhum descanso. Mesmo quando conseguia dormir, o sono não lhe dava alívio, conturbado pelo suor gelado e os pesadelos recorrentes, sempre os mesmos, a dor inesgotável aterrorizando-a ainda mais. Os dois filhos tinham sido presos havia um mês, eram estudantes de arquitetura, queriam uma vida de beleza, abundância e verdade para a nação. Sabiam que corriam riscos, mas queriam lutar pelo país. Engajaram-se na luta armada. Nenhum dos dois podia aceitar o arbítrio, a perda da cidadania e da democracia. Onde estavam? Ela se perguntava minuto a minuto de todos os dias agora longos demais para sua fragilidade e desespero. Será que estavam bem? Tinham sido torturados? Estavam vivos? As perguntas que não lhe saíam da cabeça nem das noites em vigília não davam trégua ao seu coração de mãe. Via-se fraca demais, impotente demais, desarmada demais, dilacerada demais. Não sabia o que fazer, só sabia chorar e ir de delegacia em delegacia, de quartel em quartel, implorando notícias e suplicando o retorno dos filhos.

Soube naquela mesma manhã que os sacos manchados de vermelho, que ela imaginou conter corpos humanos ensanguentados e flutuando nas águas do rio Arrudas, em Belo Horizonte, era uma manifestação de arte-guerrilha assinada por Arthur Barrio. A intenção não era outra senão abalar e conscientizar a população de que as pessoas estavam sendo presas, torturadas, desaparecidas, mortas e desovadas nas florestas fechadas, nos rios e nas águas marítimas do território brasileiro. Era arte, era denúncia, era luta, era clamor.

Soube ainda que, naqueles dias, outro artista plástico também desafiou o governo militar interrompendo por várias horas o trânsito da Avenida Brasil, no Rio de Janeiro, logo de manhãzinha. Foi Rubens Gershmann quem, madrugada adentro, instalou sem testemunhas e de modo quase irremovível quatro letras gigantescas no leito da avenida: LUTE! Dessa vez, o artista não queria metáforas. Nada poderia ser mais claro que o verbo, a necessidade e o desejo da luta.

Os tempos nem eram mais de espanto, tantas coisas estranhas e ruins acontecendo por todo o país, mas admirou-se com a ousadia, a coragem e a disponibilidade daqueles homens para o risco e a luta pela justiça e liberdade. Soube então que não adiantava nada ela e as outras mães chorarem e se desesperarem defronte aos DOI-Codis e aos quartéis. Não adiantava sangrar todos os dias. Ninguém ligava a mínima. Precisava fazer alguma coisa, atuar de modo combativo, expandir a revolta e o grito. Mas como? Não era artista, não imaginava coisas tão expressivas, não iria pegar em armas nem falar às pessoas de esquina em esquina. Não tinha como fazer nem uma coisa nem outra. Era pacifista, não tinha talento para a liderança, nunca foi de comando e muito menos de confronto, subversão e guerra. Era pedagoga. Acreditava na educação, e educar era sua única possibilidade de participação social. Tinha estudado para isso.

Invejava os artistas. Eles tinham uma coragem sem limites, praticavam uma arte inteligente e revolucionária tecida ideia a ideia não só com emoção, mas também com astúcia. Praticavam o ardil, o dilaceramento, a sutileza. Com essa arte nova nascida da indignação, da revolta e das lutas, os artistas emboscavam a ditadura, desnorteavam as cidades, intrigavam cada cidadão e confrontavam as instituições com a surpresa, o imprevisível, a ambiguidade, as metáforas, a cilada, os significantes. Suas armas eram a cor, o pincel, o traço, o estilete, o barro, o fogo, a palavra, o som, a voz, a cultura brasileira.

Sabia desde os tempos de normalista, porque o professor de filosofia insistia num projeto ético e estético para o ensino, que a arte sempre esteve ligada à alma e ao Estado, que reprimi-la, cerceá-la ou impor-lhe métodos, regras e possibilidades seria o mesmo que violentar a alma das gentes e do Estado. Sabia que a arte tem uma ordem oculta mais sentida que compreendida e que, por isso mesmo, poderia ameaçar a tirania, tornar-se perigosa. Jamais seria vencida se quisessem amordaçá-la, se quisessem arruiná-la, feri-la, sangrá-la. Era esse o caminho!

Nem de longe se via como artista, mas tinha que aprender a usar as artes, desenvolvê-las de alguma forma em sua classe de primeiro ano escolar, assegurar-se de que com ela as crianças não seriam *tabula rasa* sobre a qual se poderiam impor normas e padrões. Era pedagoga. Confiava que a educação podia tornar as sociedades mais sensíveis, mais inteligentes, mais criativas e mais livres. Sabia que a sala de aula é um espaço civilizatório, que tudo que se fazia dentro dela era participação política. Para o bem ou para o mal. Ao educador carecia de escolher...

Podia trabalhar as letras compondo com as crianças alguns poeminhas com palavras do imaginário infantil, ensinar a ler e a escrever de modo divertido usando cores e formas distintas, podia contar histórias de gente que no passado fizeram muito pelo Brasil, por sua liberdade, cultura e soberania. Tiradentes foi sua primeira inevitável e angustiante lembrança, mas depois viriam Frei Caneca, Ana Néri, Silva Jardim, Monteiro Lobato, Castro Alves, Anita

Garibaldi, Santos Dumont, Chiquinha Gonzaga, Guimarães Rosa, Nise da Silveira, Villa-Lobos. Ela falaria sobre a singularidade e importância de cada uma dessas pessoas na formação da brasilidade. Diria às crianças que, mesmo sendo ainda muito pequenas, só sete aninhos, cada uma delas tinha uma singularidade própria, uma identidade única, todas igualmente importantes para a vida, a pátria e o mundo.

Podia refinar a sensibilidade infantil usando as artes plásticas, a poesia, a literatura, a música. Quando mocinha, até já tinha se arriscado no desenho, na escultura e no entalhe. Gostava de trabalhar com madeira. Poderia falar das árvores e do valor que elas têm na natureza, do mal do desmatamento para as florestas, os animais, as águas e as cidades. Poderia levá-las em excursão por santuários ecológicos. Além disso, podia cantar, até que era afinada, não era artista nem tinha talento para o canto, mas podia cantar algumas modinhas para as crianças e ensiná-las a cantar muito mais que "... se esta rua, se esta rua fosse minha..." ou "... o cravo brigou com a rosa..." ou aquele eterno e maldoso "atirei o pau no gato... to... to, mas o gato...".

Foi o que fez. Estava em pedaços, os filhos sumidos, talvez mortos, o país subjugado, mas era hora de reagir, de ser brasileira, de juntar-se à luta. O canto mostrou-se método pedagógico, delicioso e eficaz até pra ensinar aritmética. Quanto mais cantava, mais inteira se sentia. Estava juntando seus pedaços, recompondo seus destroços, curando suas feridas, revitalizando sua alma e sua vida.

Gostava de cantar *A Banda* para as crianças. Elas cantavam junto e adoravam, era tão linda, tão alegre, tão viva! O Chico Buarque era mesmo um poeta! Todo mundo aprendeu a cantar e a perceber que "... quem sabe faz a hora, não espera acontecer...", tão linda, tão tristinha, tão poética! Os menininhos adoravam!

Gostava também de cantar e dançar com as crianças *O Bêbado e o Equilibrista*. Tinha um verso em que João Bosco e Aldir Blanc diziam que "... choram Marias e Clarisses no solo do Brasil...". Se identificava. Ela era essa outra Maria, essa outra Clarisse, essa outra mãe rezando pelos seus meninos, esperando por sua volta pra casa. Quem fez as músicas, que pena! Estavam todos no exílio, uma judiação! Podia até ser perigoso, mas ia contar pros menininhos que lugar era esse, o exílio.

Foi presa dois meses depois. A direção da escola considerou que ela estava manipulando as crianças. Os alunos viviam cantando até no recreio "... apesar de você, amanhã há de ser outro dia...", "... quem sabe faz a hora, não espera acontecer...". Até as classes dos maiores eram só empolgação e sonoridade. A escola virou um alvoroço que dava gosto! Todo mundo alegre, todo mundo cantando! Até a faxineira, o bedel, a cozinheira, a secretária, a datilógrafa. Volta e meia, a diretora flagrava um ou outro cantarolando ou tamborilando os dedos sobre as mesas. Ela mesma ficava com aquela *Disparada* toda na ponta da língua, bem que gostaria de soltar a voz e fazer uma surpresa pra todo mundo! Não era pra se gabar, mas cantava muito bem, tinha tido aulas de canto quando novinha, mas não! Era a diretora, tinha que preservar a autoridade, fechar a cara, manter a compostura! Além dessa perturbação no primeiro ano, a professora desafiava o regime com aquele jeito de ensinar, aquela zoeira e os outros professores também estavam embarcando nessa festa! Alguns pais não estavam gostando! Limites são necessários! As crianças têm que aprender! Sem limites a vida vira bagunça! Uma nação não pode crescer na anarquia. Tem hora pra tudo! Tem que haver controle! Freio!

Foi levada para Juiz de Fora, tinha uma unidade do Exército por lá. Conhecia a fama do lugar, não era nada boa, mas não teve medo. O que poderia lhe acontecer? Não sabia de nada. Nem dos filhos, ela sabia! Era pedagoga. Educava. Só isso. Educava.

A repressão pensava a mesma coisa, mas com outro conceito. Ela era pedagoga. Não ameaçava o regime nem os costumes. Não fazia nada demais. Era inofensiva. Nem sequer sabia o que era militância, mas tinha que dar o exemplo, trabalhar mais e falar menos. O que era mesmo pedagogia?! Alguém podia explicar? Que se saiba, era só conversa mole pra boi dormir! Não tinha nada de perigosa. Era inofensiva, quantas vezes precisava se dizer isso? A educação sempre foi colônia política dos governos, não seria agora que iria mudar! O que era mesmo pedagogia?

Não foi agredida. Não experimentou no corpo nenhuma violência. Não tinha nada pra contar. Não sabia de nada. Só teve que ouvir diariamente e por mais de uma quinzena um falatório imbecil, uma ladainha idiota e machista. "O que é que a senhora pensa que está fazendo falando essas bobagens pros aluninhos, dona? A senhora é uma professora, tem que dar o exemplo, não pode ficar contando histórias inverídicas, a história do Brasil está nos livros didáticos, não tem o que inventar. Também não pode ficar cantando essas músicas sem qualidade, de gente irresponsável e que abandonou a pátria, professora. A senhora não sabe que essa classe de gente só desonra o Brasil, professora? Um bando de maconheiro, de vagabundo, isso é o que eles são! Não passam disso! Gente frouxa sempre à toa na vida esperando a banda passar... Não é isso que aquela musiquinha à toa fala, professora? Bandos de vagabundos, filhinhos de papai, a senhora não concorda, professora? Dá pra deixar assim, professora? O governo tem que fazer alguma coisa, a senhora não acha, professora? O jeito é descer o cacete, a senhora entendeu, professora? Entendeu, professora?!"

A cantilena parecia não ter fim, o militar esmurrando a mesa a cada frase, ela louca por uma surdez temporária, só olhando toda descabelada, com a mesma roupa desde que foi presa, sentindo-se um zero zeríssimo e esperando ao menos um soco, um safanão. A tortura foi só aquela, não teve nem palavrão, mas entendeu que quando o tal tenente-coronel a chamava de professora estava mesmo é chamando-a de filha da puta!

"Toma jeito, professora! Dessa vez passa! Mas tome tento! Mais uma conversinha dessas na escola a senhora vai ver o que é bom pra tosse! Entendeu, professora?! A senhora só tem que botar a meninada na linha reta, dona! Reta! Reta! A senhora é ou não é pedagoga? A professora não está cansada de saber que é de pequeno que se torce o pepino? Até minha avó analfabeta sabia bem disso, professora! É por isso que tem tanto subversivo por aí, porque as mães e as professoras não fizeram o que tinham que fazer na infância deles. A senhora tem filhos, dona? Passou o relho neles? Então... a senhora sabe como é... A senhora é pedagoga, professora!"

Não tinha nada pra contar nem pra entender. O que ouviu entrou por um ouvido e saiu pelo outro. Era pedagoga mesmo, era professora com muito orgulho, filha da puta ou não, e tinha muito pra cantar. Fez na prisão o que fez na escola. Cantou. Se a música alegrou as crianças, alegraria ainda mais os presos, coitados. Nem era muito afinada para ouvidos desenvolvidos, mas dava pra cantar *Pra Não Dizer que Não Falei das Flores, Sabiá, Apesar de Você* e também *Asa Branca, Ave Maria no Morro* e *Luar do Sertão* de um modo gostoso. Achava que aliviaria as celas e que poderia até resgatar a esperança. Acertou. De um dia pro outro, Geraldo Vandré alcançou todas as celas. Nada pôde contê-las. Até mesmo quando alguém estava supliciado na cadeira do dragão ou no pau de arara, todas as vozes juntavam-se bem alto para que o torturado soubesse que todos estavam com ele, sofrendo e resistindo com ele.

A comoção ampliava-se a cada dia, intensificava-se a cada noite, a cada tortura, a cada prisão, a cada libertação. Os carcereiros amoleciam e cantavam com os presos, o sargento-chefe da carceragem fechava os olhos e escancarava os ouvidos. Era bonito demais, verdadeiro demais! Exatamente como os filhos dela estudantes de arquitetura presos e desaparecidos queriam para o Brasil: beleza, abundância e verdade!

Foi solta dias depois. Era pedagoga. Educava. Só isso. Educava. Não fazia nada demais.

A Toga

Eram seis e nenhum tinha papas na língua. A ditadura era complacência zero. Tiveram seus direitos políticos cassados logo no início do golpe. Haviam sido eleitos deputados e supostamente representavam seus estados na Câmara dos Deputados Federais em Brasília. Eram da oposição ao regime militar até onde o governo consentia. A cassação foi inevitável e a prisão adiada.

Adauto Lúcio Cardoso, nada mais nada menos que presidente da casa e líder da Arena, discordou da cassação com veemência. Era governista, mas acolheu os seis oposicionistas do Movimento Democrático Brasileiro na própria Câmara até quando deu. Com isso confrontava a tirania, protegia os cassados e adiava as prisões. Quando finalmente aconteceram, renunciou à presidência e ao mandato. Protestava. Acima de tudo, amava a justiça, a Constituição e as liberdades.

Desde muito cedo, quando ainda era um simples estudante de ginásio, sonhava em participar da construção de um Brasil mais ético, mais solidário e mais justo. Apoiara o golpe de Estado, porque acreditava que em pouco tempo o governo militar restabeleceria a integridade da nação e afastaria da pátria o perigo que ele via no comunismo. Apoiar os militares não significava apoiá-los cegamente. Ele respeitaria a que preço fosse suas crenças mais íntimas e, para isso, determinava-se à independência também a qualquer preço. Inclusive contra o governo de exceção, se assim fosse justo e necessário. Já o tinha feito antes, quando em 1944 fundou o Movimento de Resistência Democrática contra a ditadura de Vargas.

Castelo Branco, que o conhecia mais a fundo e o admirava justamente por isso, não se incomodou com o protesto e a rebelião. Aquele era um rebelde necessário: nomeou-o ministro do Supremo Tribunal Federal.

Na Suprema Corte, sua independência foi testada muitas vezes. Em nenhuma, Adauto Lúcio Cardoso se acovardou: votou pela concessão do *habeas corpus* a inimigos do regime e diligenciou em inúmeras questões de ultraje às liberdades individuais e coletivas.

Em 1971, foi voto vencido diante da representação oposicionista de inconstitucionalidade da lei da censura prévia do governo Médici à produção cultural brasileira. Inconformado com a imposição da proibição às liberdades de expressão, arrancou a toga e lançou-a fora com violência e revolta, abandonou sua cadeira de ministro da mais alta corte de justiça do país e retirou-se do Supremo Tribunal Federal sem olhar pra trás.

Nunca mais voltou.

Não tinha apoiado o fascismo. A hidra o enganara.

Não foi o único.

O Duque

Tinha pouca idade e nenhuma experiência na imprensa ou no ensino superior. Tinha acreditado por muito tempo que, tanto para o jornalismo quanto para o magistério, especialmente em nível universitário, eram necessários talentos incontestáveis, muito e muito conhecimento, até erudição, trabalho intenso e constante, pesquisa curiosa e persistente, muitas obras já divulgadas e experiência reconhecida de muitos e muitos anos. Afinal, tratava-se de construir a inteligência nacional e, mais do que isso, a consciência ética e política da nação. Era preciso maturidade e sabedoria.

Não era o seu caso. Não tinha vivido muito ainda e jamais seria culta o bastante para o seu desejo, mas o que sabia naqueles anos de ditadura é que tinha muita esperança, muita vontade de abertura e mudança, muita indignação. Sabia que ainda tinha muito a aprender e a viver, sabia que aprenderia até a morte, que jamais se esgotariam seu desejo e curiosidade, mas também sabia que tinha muito a dizer e especialmente a construir.

Então, já no início da carreira universitária inesperadamente como professora regente, criou dentro da sua disciplina na Faculdade de Belas Artes de São Paulo uma outra que tratava da livre expressão humana desde a infância. Era 1972 e todas as liberdades haviam sido destroçadas pelo AI-5. Dentro da psicologia da educação, já malvista pelo regime militar porque, na teoria, fatalmente valorizaria as liberdades individuais desde a meninice, ela inseminou uma psicologia da expressão artística porque sentia que a liberdade não só era necessária à expansão do ser como também era seu direito mais fundamental, um direito que não podia morrer sob a crueldade e a tirania. Da liberdade dependia o rumo da existência de cada um e seu valor individual para o conjunto da sociedade. Da liberdade dependia o destino. De um e de todos.

A repressão não gostou nada disso, nem nos anos posteriores, mas ela continuou criando novas leituras da psicologia da criança. Não lhe bastava a teoria consolidada sem a interpretação política e filosófica necessária à visão de uma criança real também agente de sua história na realidade cotidiana e social. Queria uma nova criança, queria um novo adulto, ambos livres e ciosos de sua identidade. Não queria uma infância subjugada, uma mentalidade carregada de preconceitos, de regras e proibições. Queria uma nação livre, alegre, sadia e criativa.

Os estudantes que já lidavam com o mistério e a beleza das artes amaram a possibilidade de trabalhar livremente com a criança e o adolescente dentro e fora da faculdade, nas escolas públicas, sem jamais impor-lhes qualquer orientação, ideia ou estilo no seu lidar com os materiais, os temas, os traçados e as cores. Puseram-se a caminho com a professora que sabiam libertária e inovadora e foram a campo para realizar, pela primeira vez na história da cidade de São Paulo, uma ampla pesquisa com mil e duzentas crianças e adolescentes que os ajudaram na compreensão do processo criativo desde muito cedo e de como os pequenos desenhistas e pintores se inseriam na sociedade e naqueles tempos de arbítrio. Nada os limitou. A teoria converteu-se em ação e criação a cada dia mais solares. Descobriram a criança, descobriram o futuro e mais, muito mais de si mesmos e da importância e potencialidades das artes na criação e recriação dos tempos e da alma coletiva. Eram visionários. O sonho lhes era possível apesar da ditadura.

Daquele trabalho que durou pouco, porque não se queria no ensino uma professora socialista preocupada com os direitos humanos resguardados desde antes do nascimento e promovidos para além dele, resultou um livro que depois de escrito demorou nove meses para nascer. Já impresso, sofreu a famigerada censura prévia do regime militar e foi retido na editora. A distribuição estava proibida. É que ali havia uma história que ofendia o Exército brasileiro e seu patrono, o duque de Caxias. A ditadura exigia que a história fosse retirada.

Ela o fez. Com dor no coração, mas o fez. Não podia jogar fora seus esforços e dos seus estudantes artistas para tentar compreender desde cedo o espírito da arte ou simplesmente da expressão humana desde a infância. Não podia jogar fora o seu ardor pela liberdade e lá, no livro, depois usado por mais de trinta anos nas universidades brasileiras e até nas de Lisboa e Coimbra, velhas questões eram tratadas de um jeito novo e muitas outras ali estavam pela primeira vez. No livro, ela e seus estudantes artistas inseminavam novas ideias, novos saberes e um novo respeito pela criança e pelo adolescente.

Era mais um veto inacreditável, mais um golpe às liberdades humanas. A história que a censura militar vetou e impediu a distribuição do livro por nove meses, mostrava apenas a realidade e a inocência da criança. Uma história totalmente inocente e um veto absolutamente ridículo! Nem as crianças podiam se manifestar!

O fato é que todas as escolas públicas do Estado foram obrigadas à realização de programas de exaltação das Forças Armadas durante toda a ditadura e especialmente na semana do soldado. Naquele ano, as professoras primárias tinham que obrigatoriamente pedir redações e desenhos com esse tema. Uma delas estava terminando a licenciatura em artes plásticas na Belas Artes e compunha a equipe de estudantes envolvidos na pesquisa da expressão plástica infantil. A seu pedido, os alunos de 4ª série deveriam desenhar soldados. Não deu nenhuma outra dica a não ser falar sobre o duque de Caxias, patrono do Exército. Era obrigatório!

Dos quarenta e oito desenhos que as crianças fizeram, trinta e dois eram de soldados intergaláticos e superpoderosos inspirados nos desenhos animados japoneses muito em voga na televisão dos anos 1970 e ilustrados com roupas, armas e capacetes ao estilo dos mangás. Outros dez assemelhavam-se ao Mister Spock e ao Capitão Kirk de *Jornada nas Estrelas*, o famoso *Star Trek*. Apenas dois talvez fossem de soldados brasileiros. Distinguiam-se unicamente pela roupa pintada de verde e o quepe também verde. Os outros quatro... bem... os outros quatro desenhos eram... de cachorros! Isso mesmo! Cachorros! Afinal, à época, duque era nome de cachorro!

Retirada essa historinha de pura inocência, a editora pôde distribuir o livro por quinze anos, mas a autora passou a ser vigiada ostensivamente por muito tempo em todas as faculdades por onde passou em São Paulo, falando sem metáforas nas liberdades necessárias à criança na construção de sua saúde mental, intelectual, emocional e afetiva. O que sempre esteve em jogo era o destino. Por isso, ela continuaria a falar nas liberdades. Com todas as letras. E com todos os sons.

Os Gigantes

Um era jurista, o outro era homem de letras, próprias e alheias. Um era temente a Deus, católico apostólico romano fervoroso, ia à missa todos os dias, logo às 7 da manhã, e comungava também diariamente. O outro era ateu convicto e comunista também convicto, editor de obras nacionais e estrangeiras de natureza filosófica, sociológica e política. Um era o desassombrado dr. Heráclito Sobral Pinto, advogado famoso, defensor incansável dos direitos humanos; o outro era o também desassombrado editor Ênio Silveira, intelectual famoso, defensor incansável dos direitos à livre expressão cultural em qualquer área e a qualquer tempo.

Ambos foram presos durante a ditadura militar, o advogado uma vez, o editor várias, embora até os militares os respeitassem e indagassem contrariados as razões da repressão. As prisões repercutiram no mundo inteiro e a indignação cresceu dentro e fora do país. Eram gigantescos e a cada prisão agigantavam-se ainda mais. A admiração dentro e fora do país também.

A cada ato institucional, a cada desmando, a cada arbitrariedade, ambos escreveram cartas pessoais memoráveis a destinatários não tão famosos, pouco ou nada tementes a Deus e especializados nas artes da guerra. Não eram gigantescos, mas eram os presidentes militares da República subjugada do Brasil.

Já nos primeiros dias do golpe, o advogado não hesitou em mostrar sua indignação ao arbítrio de modo inteiramente aberto. Não era esse o governo que tinha apoiado. Um ano depois, quando do AI-2, que transferia para a justiça militar o julgamento dos considerados crimes políticos, Sobral Pinto desafiou o marechal Castelo Branco por telegrama: "Não posso e não quero ouvir silenciosamente sua inacreditável afirmação de que só os saudosos da corrupção e da subversão ousarão dizer que estamos em ditadura. Informo Vossência que esse é o regime que vigora no Brasil. Seu nome no dicionário político universal é ditadura. Desafio Vossência que prove o contrário". E logo depois em carta longa e dura: "O senhor é o chefe do Estado-Maior do Exército. Não pode estar fingindo de presidente!".

Depois, o destinatário das cartas foi o presidente seguinte, general Costa e Silva. O jurista dizia querer "apenas uma ordem jurídica decente, digna e respeitadora da dignidade da pessoa humana, da liberdade individual e das liberdades públicas, princípios que estão varridos da minha e da pátria de V. Exª. Queria a garantia da magistratura brasileira. Agora pouco importa que um cidadão seja decente, honrado e leal porque os militares que ocupam o governo estão subtraindo todas as liberdades".

O gigante não se dava direito ao descanso nem espaço para o medo. Os tempos eram de luta. "Oportunamente voltarei à presença de V. Exª. para formular novas críticas."

As cartas de Ênio Silveira também foram escritas na primeira pessoa e incitavam o presidente Castelo Branco a debater a repressão do governo militar sobre a sociedade civil. Proclamavam a liberdade de opinião e rechaçavam a euforia punitiva dos militares, a cassação em massa de professores universitários, a reforma de oficiais das Forças Armadas, a aposentadoria compulsória de centenas de cientistas de todas as áreas, as demissões sumárias do funcionalismo público e a repressão às manifestações artísticas e culturais simplesmente porque essas pessoas pensavam.

As cartas, que também eram publicadas nos editoriais da revista *Civilização Brasileira*, acabaram por resultar em quatro prisões do editor em cinco anos, na apreensão e destruição de obras publicadas por sua editora consideradas subversivas, no incêndio e demolição do prédio da empresa e na proibição disfarçada de concessão de crédito pelos bancos à *Civilização Brasileira*.

A repercussão do que Ênio Silveira vinha sofrendo foi tanta no Brasil e no exterior, que o próprio presidente general Castelo

Branco indagou ao então ministro general Ernesto Geisel: "Por que a prisão do Ênio? Apreensão de livros... Nunca se fez isso no Brasil. É mesmo um terror cultural!".

A ditadura estava só começando.

Também estava só começando aparecer por toda parte, de norte a sul, de leste a oeste, e até fora do país, centenas de outros gigantes famosos e anônimos, cultos e incultos, ricos e pobres, militares e civis, homens e mulheres, velhos e jovens, religiosos e ateus. Cada qual a seu modo expuseram-se ao risco e enfureceram a hidra.

A luta, o sangue e a esperança nutririam as liberdades vinte e um anos depois.

O Rábula

Era velho desde criança. Tinha nascido assim. Como se tivesse chegado ao mundo no século XIII. Tudo nele era antigo: as maneiras, a linguagem, a caligrafia, a escrita. Embora os ternos e os calçados fossem modernos, algo de indefinível transpirava no modo de vestir. Vestiam um velho. De vinte e sete anos.

Orgulhava-se de falar e escrever dois idiomas com absoluta perfeição. Até era professor de inglês e português no ensino médio em cidadezinha do interior. Lá, todo mundo o considerava um gênio e todos o reverenciavam como a um santo. Sabiam pouco da língua materna e nada das estrangeiras, mas dava gosto ouvi-lo falar, mesmo sem entender nada. Também não entendiam nada da missa rezada aos domingos em latim e o padre era mesmo um santo. Igual ao professor.

Orgulhava-se de conhecer o português à perfeição. Abominava as gírias e as incorreções, podia dar aulas e mais aulas sobre pontuação, o uso do trema e do hífen, o plural dos substantivos e sua íntima relação com os "s", e o uso dos verbos na totalidade dos tempos. Na verdade, podia falar horas e horas sobre qualquer recurso da gramática ou da sintaxe desde os sinônimos, os antônimos e os topônimos até os pontos de exclamação e interrogação e também as reticências...

Conhecia muito bem a língua pátria e considerava insultuoso falar com alguém que não na segunda pessoa do plural. Todas as pessoas, fossem quem fossem, mereciam reverência. Era o mínimo que se podia fazer por qualquer um.

As pessoas do lugar, quase todas sem escola porque tiveram que trabalhar desde a infância pra dar conta do teto e do pão, ficavam meio constrangidas quando ele se referia a todos daquele jeito tão bonito: "Vóós tendeis aa proocrastinar aa instrução, é um peecado do qual Noosso Senhor não voos perdooará! Ele é oo Verbo! Subiuu aas nuvens e ao ceooo Filho de Deus. Vóós preecisais conhecer aa palaavra divina! Vóós sabeis perfeitaamente que aa escoola é aa voossa redenção! Vóós sabeis que aa terra é dee tooda gente, que Deus voos deu aa terra e oos braaços para aa luta! Voossos filhos têm direito ao pão e ao alfabeto... com aa paalavra dos homens vóós ficareis íntimoos doo Verbo. Vóós...vóós... vóós...".

Orgulhava-se de conhecer o inglês também à perfeição. O seu, ele tinha certeza, era um inglês castiço, britânico, não era americanizado e enxovalhado por gente ignorante que não respeitava a tradição, a cultura. Honraria a Rainha. Seu inglês, na verdade, era ainda mais puro que o de Shakespeare... Não concordava com tanta figura de linguagem, tanta metáfora. O idioma tinha por objetivo único dizer o que tinha a dizer, não tinha que ficar rondando, rondando.

Foi preso três vezes durante a ditadura. A primeira vez foi à saída do encontro pedagógico anual dos professores da rede pública estadual. Estava tímido, mas confiante da pertinência e do êxito das suas ideias, então encaminhou uma moção "dee sua própriia laavra" escrita nas duas "línguas" e reivindicando a volta às escolas do português e do inglês de antigamente. Era dever de todos zelarem pela pureza dos idiomas. Não podiam ser contaminados com as excrescências da vulgaridade.

Ninguém no quartel sabia por que exatamente ele havia sido preso. Os soldados que fizeram a prisão relataram ao major que ele dizia palavras estranhas e estava muito exaltado distribuindo o que parecia ser um panfleto em língua estrangeira. Acharam suspeito. Vai ver que era subversivo e, ainda por cima, soviético! Pelo sim pelo não, resolveram detê-lo. O militar tentou ler o tal panfleto, também não entendeu nada e mandou soltá-lo. "Cara esquisito, sô!"

Dias depois foi ao jornal levando sua reivindicação por "escrito" e nos dois "idiomas". Apresentou-se reverente: seu antropônimo era Vicente, "podiam chamá-lo de mestre Gil, era uma hoonra! Looas à Virgem Maria!". O chefe da reportagem, atônito, certo de que estava diante de um velho preceptor enlouquecido espantosamente saído de alguns bons séculos atrás, chamou alguns jornalistas que também se admiraram desconfiadíssimos, os olhos saltando das órbitas. O moço falava em tom inflamado o que de muito longe parecia talvez um português antigo e formal, na verdade mais para arcaico. "Vóós entendeis? Vóós certamente deeveis cuidaar daa linguaagem! Escreveis para o poovo! Voossa missãão é iluminar toda a gente! Deus voos concedeu taalento! Tendes que honrar voossa pátria e voosso rei! Não podeis decepcioonar o Senhor! Loaas!"

Os jornalistas se entreolhavam e se perguntavam silenciosos: de onde tinha saído aquele sujeito? Os que tentaram ler "o manuscrito" que tinha talvez alguma remota semelhança com o português de priscas eras não entenderam bulhufas, mas uma coisa tinham entendido clara e irrevogavelmente! O jovem era mesmo antigo, muito antigo! Estava na cara! No palavrório! Na formalidade! Na letra toda desenhada e cheia de floreio! Era caligrafia das antigas! Claro! Nele, tudo recendia a velho, muito velho! Vai ver já tinha nascido antigo!

Quem conhecia o inglês e leu "a escrita" no que parecia ser algo parecido talvez com inglês vitoriano também não entendeu absolutamente nada. O que seria aquilo? Que língua era aquela? O que aquele jovem queria dizer? Com certeza não era da capital. Tinha saído de algum túnel do tempo? O editor, já trocando os pés pelas mãos e não falando mais coisa com coisa, anotou nome e endereço e o despachou elegantemente na segunda pessoa do plural.

No dia seguinte e depois e também depois e ainda depois, o jornal publicou os dois supostos textos nos dois supostos idiomas em lugar da poesia de Camões e das receitas de bolo que a ditadura exigia em defesa da segurança nacional. E eles estavam lá! Impressos lindamente e com destaque em todas as páginas do jornal! Tomaram o lugar das notícias proibidas. O editor lhe dera razão! Sentiu que tinha sido largamente compreendido e que agora milhares de pessoas sabiam da importância de se ensinar o português e o inglês em sua absoluta pureza.

Orgulhou-se tanto, mas tanto, que até comprou o jornal pra distribuí-lo no povoado. Todos se impressionaram muito, os analfabetos, os semi e os funcionais. "Entendeis?", insistia. "Voossências tendes que ir aoo enfrentamento! Voossências tendes que ir aoo enfrentamento! Vóós sois a páátria! Vóós sois a páátria!"

O problema é que a repressão estava pasma e, tanto quanto os jornalistas, também não tinha entendido nada. Os militares e a censura acharam que aquilo tudo era uma escrita em código usada repetitivamente pelo jornal para acionar a militância. Os soldados tinham razão: o homem que eles prenderam e que o major havia soltado não era inocente. Ao contrário, era perigosíssimo!

A repressão disparou o alarme. O sujeito provavelmente iria às outras redações! Claro que iria! O censor lá dentro que se espertasse! A subversão estava por todo o canto e em tudo que é língua! Até morta!

Ninguém podia dormir no ponto! Além disso, jornalista é uma raça filha da mãe! Tudo comunista! Quem não é leninista é trotskista! Quem não é nem um nem outro é janguista, prestista ou brizolista! Tudo farinha do mesmo saco! As delegacias que ficassem alertas também! O subversivo poderia estar nas ruas distribuindo mensagens em código para as guerrilhas e aliciando os incautos para o stalinismo, talvez até para os chinas maoístas!

Foi preso pela segunda vez em outra redação. O censor tinha se espertado. A tortura também, alguns safanões e o comunista só dizia: "Vóós estais aa confundir, ignooro o que vóós quereis, descoonheço o quue voossa patrulha está aa procurar. Rogoovo que me digades ... Ignooro vossa demaanda!"

"Que demanda, porra!?" Os militares ferviam! "Deixe estar, seu comunistinha de merda, é agora que o pau vai descer pra valer! Estava zoando deles? Deixe estar! O pau vai comer grosso! Grooosso!"

Não comeu! Surrar e ameaçar o biglota não adiantava nada. A repressão não entendia aquela fala empolada cheia de rococós. Ele também não entendia aquela fala indecorosa, cheia de figuras de linguagem sórdidas, aquele português cheio de erros, de injúrias à gramática e de palavrões de baixíssimo calão. Seus ouvidos doíam. Latejavam. Por que não falavam corretamente? Por que comiam todos os "s"? Por que conjugavam os verbos de modo tão errado e brutal? Por que tinham tantos vícios de linguagem? Eram oficiais, tinham estudado, não podiam destroçar a língua!

    O professor não dizia coisa com coisa, ninguém entendia absolutamente nada! Nem ele! Os militares também não diziam coisa com coisa! Estava perdido! O que será que aquela gente queria dele? Por que achavam que ele escondia alguma coisa? Estava tudo tão claro nos manuscritos! Seu "inglês" e seu "português" primavam pela correção e a transparência. Nada nos textos era minimamente insinuado! "O que é que eeles não entendiaam? Não saabiam ler?! Roogo-vos que me digades... roogo-vos... roogo-vos que me digades..."

    Quando foi preso pela terceira vez, agora distribuindo seus "teextos" defronte à igreja da Consolação, não lhe fizeram nada. Nenhuma pergunta, nenhuma grosseria, nenhum palavrão, nenhuma ofensa, nada! Simplesmente estava preso para averiguações!

    Ficou na cadeia oito meses. Era tempo demais. Não ia ficar à toa. Queria porque queria ensinar seu português perfeito e seu inglês castiço aos carcereiros, aos presos, aos soldados, às visitas, aos fornecedores, à manutenção, aos médicos e também aos oficiais, todo mundo enlouquecendo sem entender nada e ouvindo aquela zoeira que o biglota não cansava de repetir a qualquer hora do dia ou da noite!

    "Doous dias de amargura doos que eu poossa durar vivo! Ouvides! Ouvides! É Gil Vicente! Vóós toodos ouvistes? Voossências sabeis?..."

    A cada dia, o jovem parecia mais e mais velho e velho exaltado, espumando, gesticulante e malcheiroso. Nem os Fleurys nem os Malhães da vez estavam aguentando tanta tortura! Era demais pra todo mundo! Ninguém mais entendia ninguém! Todo mundo exausto! Na carceragem, ninguém mais falava coisa com coisa.

    "Doous dias de amargura doos que eu poossa durar viva? E assim hei de estar caativa em poder doos de farda. Ouvides! É Gil Vicente! Vóós toodos ouvistes? Madaalena estai caativa e vay morrer! Ouvistes? Ouvistes? Estai caativa e vay morrer!"

Enquanto a investigação se atordoava no cotidiano da prisão, a censura enviou os supostos manuscritos para linguistas renomados no Brasil e na Inglaterra. O laudo demorou quase três longos meses para chegar às mãos dos censores e era absolutamente inacreditável!

A perícia avaliou sem qualquer dúvida: quem escreveu o documento talvez quisesse mesmo que as escolas ensinassem o português com perfeição, mas não o português contemporâneo, a língua atual que ele sempre ouvia com horror em todo lugar. Queria que o seu "português" se multiplicasse pelo país, nas escolas, nos jornais, nas editoras, nas universidades. O seu "português", ele sabia, era o único a honrar a lusitanidade! O único português português!

O que se via ali, disseram os linguistas, decididamente não era português! Quando muito, talvez pudesse ser aparentado com o galego arcaico ou, cheio de erros e impropriedades, talvez pudesse ser um dialeto metido a barroco com alguns remotos vestígios da língua portuguesa ainda anteriores às navegações! Valha-nos Deus! Camões devia estar rolando os ossos no túmulo! Aquela "escriitaa" tinha tomado o seu lugar na imprensa acovardada!

Quanto ao "manuuscrito" em suposta língua inglesa, nem sequer era barroco ou o raio que o parta, com perdão da palavra! Não era nada! Simplesmente não existia! Nenhum século registrara aquele "idiooma"! Era uma grafia sem sentido, pura invenção! O professor havia inventado uma nova língua! Só ele falava, só ele escrevia, só ele grafava, só ele entendia!

E não é que os "teextos" podiam mesmo ser usados nos jornais no lugar do poeta lusitano e das receitas culinárias?! Poderiam mesmo virar código de oposição ao regime militar! A resistência que se espertasse e botasse a cabeça e a imaginação pra funcionar! Os jornais até se dispunham a publicar sandices em lugar das sandices da ditadura. Quando elas surgissem nos diários, todo mundo se daria conta de que mais uma vez fatos inaceitáveis, sandices de verdade, se sucediam sob a dominação.

"Vóós é que sabeis! Voossa cabeça é voossa sentença! E correndo assim pelas ruas mesmo que noo havia culpa e começou a foogir daa cella daquele ustra... É nos interstícios de voossa mente que flooresce a liberdade! Vóós sabeis! Não abandoneis Gil e Madalena! Disseron antre si que muyto lhis era meelhor de morrerem ca de servirem tal senhor esse qui va faarda!

 É a libertas... a libertas... nossa grãde sperança..."

A Conspiração

Estava orgulhoso. Era soldado raso. Não era mais um nada no meio da roça quase sempre seca sob sol escaldante. Trabalhava desde criança, ajudando o pai, lavrador em terra cedida. O proprietário tinha pena, deixava a família morar lá sem paga nenhuma. Tinha seis irmãos, ele era o mais velho, dezoito anos, já era homem. Tinha época em que todo mundo, também as meninas, iam bater tijolo na olaria do lugarejo a uns oito quilômetros do casebre. Saíam de madrugadinha. Só ficava a mãe ainda de resguardo. Voltavam já noite alta com as mãos esfoladas e em carne viva, mas traziam arroz, dois ou três quilos de feijão, uma latinha de banha e um pouco de sal e um pouco mais de açúcar, nunca um quilo de cada. O pai, mãos calejadas, trazia o remédio e a cachaça.

Fazia tempo que sonhava com o Exército. Achava que mesmo sem muita escola podia virar sargento ou cabo. Aí a vida até ia ficar boa. Ia ter serviço garantido, nunca mais ia ficar na lerdeza nem passar fome, o soldo seria mensal, certo, sem risco de falhar. Até poderia ajudar um pouco a mãe sempre doente, tantos filhos nascidos, poderia mais tarde pensar em casar, dar estudo pros filhos. Não ia ser tudo sem letra, ia ter um advogado, um médico e até uma engenheira na família. Ah! Se ia!

Foi convocado assim que se alistou e achou que o sargento e o cabo tinham gostado do trabalho de logística que ele fazia. Facilitava muito as decisões diárias dos tenentes, do capitão e do major. Pelo visto, eles também deviam estar gostando. A mãe e o pai iam inchar de tanto orgulho!

Ficou sabendo no quartel o que era logística, nunca tinha ouvido palavra tão bonita antes. Logística! Os oficiais tinham estudo, se formaram na escola de cadetes de Resende, sabiam defender o Brasil se tivesse alguma guerra. Nossa! Deus era mesmo muito bom! Tinha deixado ele ir pro Exército! Nem todo mundo era convocado! A vida já estava mudando! Podia até agradar gente estudada, gente de farda e medalha, gente grande!

Achou que era isso mesmo quando foi mandado trabalhar na carceragem. Tinha agradado os militares, não era um qualquer, era homem de confiança! Nem sabia que tinha presos lá. O que será que eles tinham feito? Nem acreditava! Eram homens novinhos, quase meninos e também tinha alguns já meio velhos. Estavam todos sem roupa e alguns bem machucados, o que teria acontecido ali? O coração apertou tão apertadinho que pensou que nunca mais ia bater normal! Quis perguntar pro sargento, mas não teve coragem. Não podia incomodar ninguém e não sabia se perguntar ia chatear o homem. Tem coisas que não se pode perguntar pro chefe. Se não disse nada é porque não tinha que dizer nada.

Se já estava invocado, ia ficar mais ainda. Ia ter mais uma surpresa. Não eram só homens, só meninos que estavam presos lá. Descobriu depois, na última cela, onze mulheres, duas grávidas. Conteve as lágrimas, homem não chora! Menos ainda na corporação! Onde já se viu?! Lembrou a mãe sempre de bucho desde que ele era bem pequeno e sentiu saudade. Não sabia o que pensar, as ideias estavam confusas, o que é que ele e os outros estavam fazendo ali? O que é que o coronel, o major e o tenente iam mandar fazer? Fugir de lá ninguém ia. Nem precisava ficar de sentinela, de vigia. Nem ele nem os outros praças nem o sargento. Vai ver era pro caso de uma precisão, mas que precisão, Cristo!? As moças pareciam muito assustadas, algumas choravam e estavam bem machucadas, três estavam até com sangue escorrendo pelas pernas, coitadas! Ficou com muita pena e também com muita vergonha. Nunca tinha visto mulher pelada. Viu uma vez o sexo da mãe porque ajudou uma das irmãzinhas a nascer. O pai *tava* caído no meio da roça só na cachaça.

Começou a entender. Aquela gente tava presa e sendo torturada porque era tudo comunista, foi o que o cabo disse. Tinha até um brasileiro, não *tava* lá, ninguém sabia onde estava, tinha fugido, era um tal de Prestes que só pensava em dividir a terra com todo mundo. Mas isso *tava* errado!? Quem tinha dinheiro pras boiadas e pros roçados era gente rica. Nas cidades também. Só rico tinha escola, casa, fartura, carro, médico só pra ele e a família. Só rico não montava fila pra conseguir as coisas nem precisava alugar caixão na prefeitura pra ser levado até o cemitério e ser enterrado direto na cova. Só rico tinha propriedade, mais de uma, virava astronauta, tinha casa em tudo quanto é lugar e até avião a jato. Só rico tinha bastante dinheiro pra viajar o mundo todo, ficar nas mordomias, virar deputado, virar senador. Esse Prestes era comunista? O comunismo não queria dividir tudo com todo mundo? Por que *tava* errado? Não entendia! Por que aquela gente *tava* lá sendo machucada de dia e de noite, comendo comida ruim, suja, sem tomar banho, doente, sem médico, nem remédio e sem poder voltar pra casa? O que é que eles tinham feito? Parecia gente boa! Dava até pra ver que era gente estudada, que sabia muito de muitas coisas. Comunista era assassino, criminoso? Por que estavam presos, escorraçados e humilhados daquele jeito? Era só judiera de dia, de noite, a toda hora! Começou a ter saudade da casa pobre, da roça quase sempre seca sob sol escaldante.

Nem conseguia mais dormir direito nas folgas. Ia pro bar com mais cinco soldados também rasos, tinham ficado amigos na carceragem, eram todos de confiança. Faziam a logística! Por mais que quisesse, não conseguia esquecer os comunistas. Ficava ouvindo os gritos, os gemidos, os pedidos de água e de socorro, o choro daqueles meninos, o desespero daquelas duas com filho na barriga. Elas e os meninos deviam ter a mesma idade que ele, dezoito, dezenove, talvez vinte anos. Tinha pesadelos com a mãe prenha sendo espancada. Ouvia a reza interminável daqueles homens e mulheres até nos dias em que ele e os colegas estavam bem longe do quartel. Não sabia que comunista rezava! Na roça todo mundo pensava que comunista era afilhado do diabo, do coisa ruim. Já tinha ouvido o padre dizer! Será que ele mentiu? Mas padre também mente? Mentira não é pecado!?

Começou a entender o pai sempre ausente e caído de tanta cachaça. A cabeça *tava* estourando, tudo embaralhado, sentia o miolo dolorido! Começou a perceber que nas primeiras folgas as caipirinhas e as cervejas diminuíam as suas dores. Começou a desejar o soldo e as folgas pra esquecer aquela doideira e poder dormir sem nenhum pesadelo. Mesmo assim, cerveja vai, cerveja vem, mais outra caipirinha, uma saideira dupla agora e mais outra e mais outra. Mesmo assim os soldados não falavam nada e, porque não falavam, o silêncio os açoitava. Se estavam na carceragem é porque os grandões confiavam. Ninguém ia abrir o bico, mesmo porque não tinham nada a ver com isso. Se aqueles comunistas estavam lá pagando os pecados é porque fizeram mesmo alguma coisa muito grave, vai ver tinham mesmo jantado criancinha. Mas dava dó, aqueles homens velhos, aquelas donas, tinha uma até que era médica, limpando a merda, o sangue e a urina das salas de tortura. Soldado não entrava em nenhuma delas. Não eram eles que cagavam, mijavam e sangravam. Quem cagasse e mijasse que limpasse, quem sangrasse que deixasse de sangrar!

Se sabiam onde pôr o burro pra descansar, não foi por muito tempo. As saideiras viraram choro soluçante, cantoria de dar dó, abraços infindáveis e muita dormição nas mesas do boteco. Eram soldados, mas também eram meninos, só tinham dezoito anos, ainda podiam chorar, não tinha nenhum coronel por perto, nem o pai, nem a mãe. Podiam chorar. Fazia bem, aliviava o coração, clareava as ideias, dava rumo.

Voltaram pro quartel com as mochilas cheias. Na outra folga também, e na outra, e na outra e na outra também. Caipirinha, só uma, sem saideira, não precisavam. Cerveja também, só uma, talvez duas pra cada um, só porque era gostoso, estava um calorão e também porque juntos ficavam mais soltos pra cantar as modas do sertão, os sambas dos morros e da periferia, os chorinhos. Sem aquele peso todo na cabeça até que dava pra namorar, aproveitar a idade e ficar mais feliz.

Daí por diante, a volta para o serviço na carceragem era de mochila cheia. Tinha papel e caneta esferográfica que não iam usar porque mal sabiam escrever; também tinha envelopes e selos que não precisavam porque não faziam coleção daqueles papeizinhos custosos nem iam mandar carta pra ninguém, em casa quase todo o mundo era analfabeto, as letras só tinham precisão pro voto no coronel; tinha bolachas e biscoitos que não iam comer porque eram homens não eram crianças; tinha escovas de dente que não precisavam porque já tinham; tinha pasta de dentes que era anticárie e que não iam usar porque não tinha mais conserto, volta e meia tinham dor de dente; tinha analgésicos que não iam tomar porque a dor de cabeça tinha passado; tinha absorventes que, Deus os livre!, não iam usar porque eram meninos, não eram meninas; tinha papel higiênico que não precisavam porque no quartel não faltava, todos comiam muito bem, do recruta ao general, então tinham muito pra cagar, tinha mesmo que ter muito papel nas privadas; tinha salsichas de boi e até de frango que não iam comer porque não gostavam de cachorro frio, ainda mais sem pão e sem mostarda; tinha pãezinhos de queijo e coxinhas que não iam comer porque já tinham comido no boteco; tinha pentes que não iam usar porque estavam carecas desde antes de se apresentarem para o serviço militar; tinha bananas-maçãs, nanicas e caturras que não iam comer porque tinham voltado pro quartel de bucho cheio; tinha barras e barras de chocolate que não faziam a cabeça nem o estômago de nenhum deles porque não estavam mais tristes nem iam fazer o vestibular. Enfim, as mochilas estavam cheias de coisas que ninguém queria...

Na última folga, antes de concluir o ano de serviço militar obrigatório para muitos e nem tanto ou nada para tantos, quis voltar pra casa. Estava com saudade daquela pureza e daquela dor. Queria rever os irmãos, insistir para que não faltassem na escola mesmo que fosse muito longe de casa. Queria abraçar o pai insensível para o abraço por causa da cachaça. Queria sentir o aconchego daquela mãe que, a cada vez que matava uma galinha pra melhorar por muitos e muitos dias o almoço e o jantar das crianças, um pouquinho pra cada uma no caldo ralo, pedia perdão ao bichinho e rezava pedindo perdão a Deus.

Mas não voltaria pra casa ainda, nem sabia se voltaria um dia. Tinha muito que aprender na cidade. Ele e os outros praças tinham se matriculado na Escola de Artes Industriais do SENAI. Iam aprender ofício, trabalhar nas metalúrgicas, engordar as contas dos capitalistas, isso era inevitável, mas também iriam somar qualidade às lutas dos trabalhadores e à vida brasileira. Queriam ter certeza de que, quando o país fosse novamente uma democracia, eles estariam lá para impedir que o inferno se reproduzisse nos quartéis. Além disso, virar sargento ou cabo não era mesmo lá essas coisas. Queriam mais. E mais queria dizer igualdade, justiça e liberdade.

Ditadura nunca mais! Nunca mais!

A Atitude

Tinha cinco anos, chamava-se Rachel Clemens, era turrona e não aceitava ordens só porque era pequenininha. Emburrou! Não queria cumprimentar aquele homem e pronto! Não cumprimentou!

O tio, agente militar do SNI, insistiu, insistiu, o pai e a mãe desolados também e a pestinha, com um bico maior a cada fração de segundo, cruzou os braços. Não aceitou a mão estendida e rejeitou o cumprimento do general-chefe do temido Serviço Nacional de Informações, que visitava Belo Horizonte naquela manhã de primavera.

Os *flashes* pipocaram! Fotógrafos e cinegrafistas não podiam perder aquilo! Que cena! Caramba! Era uma menininha dizendo não na caradura para um general do regime! Quem bem adulto tinha tido coragem de dizer não para um general naqueles quinze anos de arbítrio? Quem?! E ainda por cima diante da TV? Era demais! A imprensa toda ficou perplexa! A sociedade também.

A menina não estava nem aí. O que ela esbanjava era atitude! Não era obrigada a cumprimentar todo mundo! Se não quisesse, não cumprimentava! Só porque era criança tinha que fazer a vontade dos outros? Não, não e não! Era criança, mas também era livre! Faria o que quisesse, pronto!

"Todo mundo" era João Baptista de Oliveira Figueiredo, o último presidente militar do Brasil. Ele também era turrão, estava cheio da ditadura, fez a transição da tirania para a democracia, deu fim à tortura dos presos políticos, gostava mais de cavalos do que de gente, fechava a cara mais do que sorria e ao final do regime só queria ser esquecido. A vida inteira só cumprimentou quem bem quisesse. Era livre.

Com a morte de Tancredo Neves, que assumiria a presidência civil do país depois dele, o então presidente militar recusou-se a passar a faixa presidencial ao vice José Sarney. Saiu pelos fundos do Palácio do Planalto louco para se ver livre de todo mundo. A imprensa nativa e inclusive a internacional ficaram perplexas! A sociedade também.

João Baptista de Oliveira Figueiredo não estava nem aí. O que ele esbanjava era atitude! Era presidente da República, tinha o protocolo oficial, mas que se dane! Por nada deste mundo se obrigaria a passar a faixa presidencial a quem não merecia o privilégio de governar a pátria. E pronto! Faria o que quisesse! Era livre!

Só não saiu a cavalo.

O que mais uma vez não o impediu de sair a galope!

Para nascer, nasci.

Para ver a luz.

Pablo Neruda

Referências

Quando a memória me faltou ou me deixou em dúvida recorri ao Darcy Ribeiro (***Aos Trancos e Barrancos — Como o Brasil deu no que deu***, Editora Guanabara, Rio de Janeiro, 1985), e ao Marcos Ridenti (***Em Busca do Povo Brasileiro — Artistas da Revolução, do CPC à Era da TV***, Editora UNESP, São Paulo, 2014). Também me certifiquei de alguns dados na internet e na edição comemorativa dos cinquenta anos da Sociedade Brasileira para o Progresso da Ciência (***Cientistas do Brasil — Depoimentos***, SBPC, São Paulo, 1998). Também revi com profundo desgosto algumas dessas tristíssimas histórias de vida confirmadas no relatório da Comissão da Verdade.

A leitura e releitura desse acervo de horrores e grandezas renovou em mim a sempiterna saudade daqueles que na universidade ou nos jornais cruzaram os meus caminhos. Grandes, inesquecíveis brasileiros!

Agradecimentos

Este é um livro que nasceu do amor por pessoas que em tempos dilacerantes deram sentido às suas vidas nas lutas pelas liberdades. Seus desejos imantavam-se ao iluminismo e às utopias. Queriam justiça e igualdade para o Brasil. Devo-lhes muito. Pelo que fui e pelo que sou. Pelo legado que, delas e de mim, de algum modo deixarei para os que se serviram desta leitura e tatuarem em si mesmos o desejo da continuidade da luta.

Também devo muito a quem chamou para si os esforços para publicação desta obra. Cristianne Rodrigues, curadora de arte no Brasil e na França, por diversas vezes se rendeu à emoção durante a leitura e de imediato foi à luta em busca de uma editora ideologicamente acolhedora. O executivo cultural e sociólogo Paulino Motter considerou-a relevante à preservação da história brasileira e se apressou na busca de recursos e patrocínio. O escritor e editor Luiz Fernando Emediato, autor de livros nascidos em tempos de tirania e arbítrio, outra vez engajou-se à eterna necessidade da resistência e acolheu sem reserva sob o selo da Geração Editorial estes contos vividos durante a ditadura militar e ainda vívidos mais de meio século depois. A Itaipu Binacional juntou-se ao projeto e aumentou em muito o incentivo à criação do livro.

Devo a Ricardo Trento, da UniCultura, o estímulo à inclusão de uma história que o comoveu muito fundo e que até aquele momento eu havia decidido não escrever tomada pela angústia e o conflito. Escrevi. A angústia e o conflito permanecem.

Também devo muitas melhorias ao texto pela leitura crítica, serena e inteligente da escritora, tradutora e ensaísta Patrícia Smaniotto e, por fim, este livro não seria o que é não fossem o estímulo e a perplexidade do advogado Otávio Marchesini e da amiga de tantas horas Marta Maria Xavier.

Sobre a autora

MARLENE RODRIGUES

Iniciou-se no jornalismo como repórter dos *Diários Associados* pouco antes do AI-5 cobrindo o movimento estudantil e, logo depois, a situação funcional e política dos cientistas da Universidade de São Paulo, culminando com o êxodo dos físicos e o exílio de centenas de outros cientistas. Em 1970, passou para a *Folha de S.Paulo* cobrindo especialmente a reforma universitária do governo militar sob o olhar de Perseu Abramo, João Batista Lemos, Cláudio Abramo e Alexandre Gambirasio. Na mesma época iniciou sua carreira como professora universitária na Faculdade de Belas Artes de São Paulo e na Fundação Santo André. É mestre em educação, pedagoga, psicóloga com especialização em Psicanálise e terapeuta de orientação própria e independente.

Planejou e deu início à Imprensa Universitária da Universidade Federal do Mato Grosso do Sul durante a anistia política. Criou e dirigiu a Coordenadoria de Pesquisa e Ensino Artístico da Secretaria de Estado da Cultura do Paraná ao início da redemocratização do país.

É autora de numerosos ensaios vinculados às ciências humanas, ao jornalismo e à psicologia associados à arte e.à filosofia. Tem livros publicados nas áreas de políticas da educação e do desenvolvimento humano. Vive hoje em pequena parte da Floresta Atlântica no interior do Paraná. No cotidiano dedica-se à preservação de espécies vegetais em extinção e à proteção da vida silvestre local. Aos 75 anos, continua engajada às lutas sociais por melhor educação desde o ensino fundamental até à formação universitária.

INFORMAÇÕES SOBRE A
Geração Editorial

Para saber mais sobre os títulos e autores
da **Geração Editorial**,
visite o site www.geracaoeditorial.com.br
e curta as nossas redes sociais.

Além de informações sobre os próximos lançamentos,
você terá acesso a conteúdos exclusivos
e poderá participar de promoções e sorteios.

🏠 geracaoeditorial.com.br

f /geracaoeditorial

🐦 @geracaobooks

📷 @geracaoeditorial

Se quiser receber informações por *e-mail*,
basta se cadastrar diretamente no nosso *site*
ou enviar uma mensagem para
imprensa@geracaoeditorial.com.br

Geração Editorial

Rua Gomes Freire, 225 – Lapa
CEP: 05075-010 – São Paulo – SP
Telefax: (+ 55 11) 3256-4444
E-mail: geracaoeditorial@geracaoeditorial.com.br